飲みの技法

V. Obsopoeus［著］
原澤 隆三郎［訳］

株式会社きんざい

はじめに

本書は Vincentius Obsopoeus: *De Arte Bibendi*, 1536 の邦訳である。原書第一版は一五三六年にドイツで出版された。出版後原書は好評を博し、翌一五三七年には増訂された第二版が出されたが、その後カトリック教会によって発禁書リストに掲載された。本書の底本には第二版を用いた。

著者オプソポイウスは、宗教改革の時代に活躍したドイツの人文主義者（古典文学研究者）、ラテン語詩人、古典（ギリシア・ラテン文献）翻訳者であった。この有名な『飲みの技法』は、彼の主著である。

オプソポイウスは、一四九八年頃、ドイツ南部バイエルン州ニュルンベルクの南約四〇キロにあるハイデック村で、その地方の王侯貴族のコック（ギリシア語でオプソポイオス）であった父の子として生まれた。名のウィンケンティウス（ヴィンセント）は、ラテン語で「勝つ」という意味の勇ましい名前である。彼は父に倣い、コックとしての修行を積んだが、文学への憧憬を深め、一五二六年にはニュルンベルクに移った。一五三二年に最愛の妻、同市のマルガレータ・ヘルツォークと結婚した。

彼は、ギリシア語、ラテン語、ドイツ語の翻訳者として活動し、マルティン・ルターの著作の多くを翻訳した。多年にわたり、彼はニュルンベルクの南西約四〇キロにあるアンスバハのギムナジウム（九年制高等学校、大学進学のための古典教育を重視）の校長を務めた。また、ここでハイルスブロン修道院の修道士たちと親交を結んだ。その元ワイン管理者であったというセバスチャン・ハマクスルグスは、本書の前口上を寄せている。因みに、序文（読者へ）を寄稿したヨアキムス・カメラリウス（一五〇〇〜七四年）は、カトリック教会との橋渡しをしたルター派の神学者・古典学者である。

宗教改革期にあった当時のドイツでは、一五二四年にシュワルツワルト、チューリンゲンその他の南西ドイツを中心に、ルターの宗教改革運動に刺激された農民の大一揆であるドイツ農民戦争が勃発し、間もなく鎮圧されたが、国土は大きく荒廃した。そのような世相の中で、当時のドイツでは、一説には年間一人当たり一二〇リットルものワインが消費されたといわれ、ワイン生産力が増加するとともに前代未聞の大飲酒地域となっていた。

オプソポイウスが、「今すべての著名人たちはこれ［酩酊］により栄光を求め、すべての人たちはこれにより名声、恩顧、評判、好意を求める」（本書二一・三二九）というように、ドイツでは飲酒至上主義とでもいうべき慣習が蔓延した。古代ギリシア・ローマではワインを通常水で薄めて飲んだので、薄めない生（き）の酒を大量に飲むのは、ドイツが発祥であると言われている。これにより、飲酒にともなう酒害もまた巷に溢れ、社会的な問題として認識されるに至ったのである。

多年にわたり、オプソポイウスは友人や政敵によりワインの飲みすぎを窘められていた。彼自身が「もし君が知らないなら、我れはパルティア全土が酒の勝利のシュロを与えた、かの有名なピロイヌス（愛飲家）だ。」（本書三・四三）と宣言しているように、大変な酒豪であった。しかし、このことは彼の評判にも影響し、職探しにも困るような状況になったという。これに反駁を加えるためにも書かれたのが『飲みの技法』であり、世界初の体系的な飲酒指導書の名著が誕生することになった。

本書における著者の狙いは、大きく三つあったように思われる。

第一は、酒害に対抗する手段として、彼は禁酒ではなく、適度な飲酒を勧めた。我が国でも「酒は飲んでも飲まれるな」というオプソポイウス流の考え方が一般的だが、その一方でアメリカでは禁酒法や断酒会といった厳しい流れがあったように、常に飲酒に対する考え方には二つの路線がありうる。酒浸りのカトリック教会に対抗して、プロテスタントの中でも酒に関する厳しい路線論争があったことは想像に難くない。オプソポイウスは、当時の禁酒論者に厳しく反論する一方で、カトリック教会での酒の振舞いには理解を示し、いずれにしても禁酒自体には賛同しない旨を繰り返し本書で説いた。

第二に、オプソポイウスは当時ギリシア語・ラテン語の有数の識者であったが、それが正当に評価されず、彼の独善的な性格も相まって、翻訳の仕事もままならなかったという。そこで彼は、通俗ラテン語ではなく、帝政ローマ時代の古典ラテン語により、オウィディウスも使用した「哀歌二行連句」という韻律を全編で用い、更にホメロス『イリアス』、ウェルギリウス『アイネイス』などの古典的な教養を随所にちりばめて、この論考を完成させたのである。更に、「我がムーサ女神は酩酊しているが、我が人生はしらふである。」（本書三・九三二）と述べ、彼の古典的教養と節制された生活を誇示することにより、自身に対する通俗的な誤解を解こうとした。

第三に、ギムナジウムの校長も務めたオプソポイウスは、若い学生たちが幸せな人生を送ることを常に願っていた。そのためには、良き伴侶を得て、節制された家庭を築くことが重要と考えた。特に、若気の至りで酒により大きな過ちを起こし、一生を棒に振るようなことは何としても避けなければならない。オプソポイウスは、酒の初心者に対して微に入り細にわたって飲酒の作法を説いた。単に酒の飲み方に止まらず、飲酒を通じた人間関係や競争意識などの必要な知識を、初心者向けにまとめたのである。後世の読者は、酒の初心者ではないかも知れないが、この時代自体の初心者ではあるので、またとない文化的な文献遺産を得たことにもなる。

本書は、三巻よりなる。巻一「飲みの技法」は、家飲み、外飲み、酒宴、と三つに場合を分けて、それぞれへの考察を加えている。巻二「肖像と罪悪」は、実在しないアペレスの絵画による比喩を用いて、酩酊とそれに伴う酒害全般についての示唆を与える。巻三「無敵の戦列」は、巻二までの節制を中心とする立論を一転させ、酒の試合で如何に勝利するかを述べる。因みに、原書には巻名も小見出しも存在しないので、これらは訳者によるものである。

これらの各巻には、下敷きと見られる古典が存在する。巻一と巻三は、オウィディウスの『愛の技術』と『愛の治療』に発想を得たと見られ、巻一の最初の二行は『愛の技術』の最初の二行をほぼそのまま流用しているほか、他にもオウィディウスへの言及が種々見られる。ルネッサンス期のイタリアやドイツでは、ギリシア最高の画家と言われたアペレスの失われた絵画を文献により復元しようとする試みが行われ、その文献には二世紀のギリシアの風刺作家ルキアノスの対話編『中傷』が用いられた。巻二の絵画『酩酊の庭園』はこれに基づくものと見られている。

本書では、類書の中では珍しく、ラテン語のテキストを掲載した。これは前掲の版本を復刻したものであるが、大文字小文字、句読点、引用記号などは適宜改め、明らかな誤りと見られるものは訂正したが、それを逐一注記しなかった。原文テキストの韻律その他の必要事項については、巻末の「韻律の覚え書」を参照して頂きたい。読者に、ラテン語韻文の世界が広がることを願っている。

本書の訳文、原文、注記などには細心の注意を払ったが、それでも思わぬ誤訳や誤謬があることを恐れる。その場合には、またはそれ以外のコメント、ご意見、ご要望などであっても、是非とも訳者の次のメールにご連絡頂きたい。

メールアドレス ryusaburo.harasawa@gmail.com

参考文献

Vincent Obsopoeus: *How to Drink, A Classical Guide to the Art of Imbibing*. Edited, translated, and introduced by Michael Fontaine. Princeton University Press, 2020.

INDEX

目次

ウィンケンティウス・オプソポイウス著

飲みの技法

セバスティアヌス・ハマクスルグスの前口上

オウィディウスは、確かな技法が狂気の恋情を疾走させるように、恋愛の規則を確かに美しく口述した。ウィンケンティウスは、どこでも確かな限度があるように、飲みの技法を遥かにより美しく述説する。愛することは許されないとしても、飲むことは快楽であるように、その技法からの好意的な規則が良習を作る。

Vincentiī Obsopoeī

Dē Arte Bibendī

Praefātiōne D. Sebastiānī Hamaxurgī

Nāsŏ quidem pulchrē lēgēs praescrīpsit[3] amandī,
    ut certā^ īnsānus curreret[3] ^arte furor.
Pulchrius at multō trādit[3] Vincentius artem
    pōtandī, quō sit certus ubīque modus.
Ut sit amāre nefās, tamen est pōtāre voluptās,   5
    ex quā virtūtem rēgula iūncta facit[3i].

Hamaxurgus ドイツバイエルン州アンスバッハ郡のハイルスブロン修道院の修道士。著者の友人。1 **Nāsō** = Pūblius Ovidius Nāsō: ローマの詩人。**quidem**, *adv*.「確かに」**praescrīpsit**: praescrībō, bere, psī, ptum「口述する」3 **multō**, *adv*.「遥かに」**trādit**: -ō, ere, idī, itum「述説する」4 **ubīque**, *adv*.「どこでも」**modus**, ī, *m*.「限度」6 **iūncta**: -us, a, um, *adj*.「好意的な」

読者へ

ヨアキムス・カメラリウス

涙の流れる目でこの本を見ると、エブリエタス（酩酊）は震える声でこれらの言葉を話したという。

「やがて私の派閥が確かな理性によって飲むようになると、私は内外の人々から軽蔑されることが減るでしょう。以前は狂乱がありましたが、今では将来の教えがあり、心を見下ろす技法さえあります。

何と言うか、私はこの本によって理性をもって狂乱することを教えるのは可能だと信じるのでしょうか。私の栄光は偉大ですが、酒浸りの夜の愛すべき衛兵たちの将来の栄光もまた偉大です。学びなさい。学ぶことは良いことです。」

彼女は、更に言いたいようだったが、その声は怪しかった。柔軟な首で頭が胸に固定されると、どもる口から不明瞭に呟いた。誰かが自身は理解したと考えたように、彼女は著者に感謝を表しているように見えた。

Ioachimus Camerārius Lectōrī

Hōc vīsō Ēbrietās oculō^mānante libellō,
  haec fertur° tremulō verba locūta sonō.
"Nunc minus inter erō externōs dēspecta meōsque,
  cum mea^ iam certā ^pars ratiōne bibet[3].
Ante erat ille furor, nunc est doctrīna futūra, 5
  nunc etiam ars animī^dēsipientis erit.
Quid dīcam[3], an fierī crēdam[3] potuisse, quod iste*
  īnsānīre docet[2] cum ratiōne *liber?
Glōria magna mea est, sed haec quoque magna futūra
  est tua, vīnōsae^noctis amīca^cohors. 10
Discite[3]," ait°, "bona rēs est discere," plūra volēbat°
  dīcere, sed dubiī vōx^ erat ^illa sonī.
Ergŏ caput fīgēns cervīce^ in pectore ^flexā
  incertum^ balbō ^murmur ab ōre dedit°.
Sed sīcut quīdam sē percēpisse putābant[1], 15
  autōrī grātēs vīsa[2] referre fuit.

Camerārius ドイツの古典学者、ルター派の神学者。1 **mānante:** mānō, āre「流れる」4 **pars**, partis, *f.*「派閥」10 **cohors**, tis, *f.*「衛兵」13 **fīgēns:** fīgō, gere, xī, xum「固定する」14 **balbō:** -us, a, um, *adj.*「どもる」15 **percēpisse:** percipiō, ipere, ēpī, eptum「理解する」

巻一

飲みの技法

LIBER PRĪMUS

偽りのない技法

もしこの街の誰かが飲みの技法を知らないならば、我が本を読み、この技法を理解して、より賢く飲むように。

この技法によれば、労苦を忍ぶ巨像は天まで昇り、水夫は波浪が響く海を駆ける。クレタ島のダイダロスも勇敢な技法により空を飛んだ。どのような労苦もこの技法で克服されないものはないだろう。

我れらが酒宴で甘美な酒を未熟者として飲むことのないように、我れらはこの技法によりバッコス神を敬愛しなければならない。もし技法の定めに然るべく従わずに酒神を崇めるときは、その崇拝者は神が怒っていることを知るだろう。神は温和だが、不遜にもその力を見下す者には、御しがたい。

もし君が学ばずに飲めば、酒は君に害だ。もし君が学んで甘美な酒を飲めば、善だ。だから飲む者には、従うべき確かな飲む技法が必要だ。それが欲しい君は、我れが教えるところを習いなさい。この本は経験に基づいている。熟練の詩人に従いなさい。この仕事は、偽って空虚な技法から流れ出したものではない。青年よ、飲み競技での大量の汗から生まれたこの偽りのない技法を、我れは君に述説する。

Sī quis in hāc^ artem nōn nōverit[3] ^urbe bibendī,
mē legat[3], et lectā^ doctior ^arte bibat[3].
Arte labōriferī tolluntur[3] in astra colossī;
arte per undisonās nāvita currit[3] aquās.
Gnōsius audācī^ quoque Daedalus ^arte volāvit[1]; 5
nullus^ erit quī nōn vincitur[3] arte ^labor.
Dulcia symposiīs nē vīna bibāmus[3] ineptī,
et Bromius nōbīs arte colendus erit.
Quī nisi praecipuā^, sīcut decet[2], ^arte colātur[3],
īrātum cultor sentiet[4] esse deum. 10
Sīcut enim est placidus, sīc intractābilis īdem,
cum sprētō^ indignē ^nūmine cultus erit.
Sī bibis[3] indoctē, sunt noxia vīna bibentī;
sunt bona, sī doctē dulcia vīna bibis[3].
Quam sectēre[1d], igitur, certā^ est opus ^arte bibentī; 15
quī cupis[3i] hanc nostrō disce[3] magisteriō.
Ūsus opus monet[2] hōc; vātī^ pārēte[2] ^perītō;
nōn fluit[3] hīc vānā^ falsus ab ^arte labor.
Hanc multō^ bibulae partam ^sūdōre palaestrae
artem nōn fictam trādǒ[3], iuventa, tibi. 20

1 **nōverit**: nōscō, nōvī, nōtum「知る」接続法完了。この動詞の完了形の意味は「知った状態にある」意から現在になる。2 **doctior**: doctē, *adv*.「賢く」比較級。3 **labōriferī**: -fer, fera, ferum, *adj*.「労苦を忍ぶ」**colossī**: colossus, ī, *m*.「巨像」4 **undisonās**: -us, a, um, *adj*.「波浪が響く」**nāvita**, ae, *m*. = nauta. 5 **Gnōsius**, a, um, *adj*.「クレタ島の」**Daedalus**, ī, *m*. ギリシアの伝説的名匠、イカロスの父。8 **Bromius**, ī, *m*. バッコス神のあだ名。17 **perītō**: perītus, a, um, *adj*.「経験のある」19 **partam**: pariō, parere, peperī, partum「生む」完了分詞。artemを修飾。

バッコス神祈願

詩人の父、神々の中で最も親愛なるバッコス神よ、神酒のような液体で我が心を震わせ給え。
我れは詩人なれども、ツタや月桂樹で整えられた冠で我が神の頭を飾ることを求めない。かかる特典はほら吹きの詩人たちが自らのものとするのだろう。彼らは、崇高な歌で残虐な戦を賛美する。それよりは我が頭頂はブドウの葉の花冠で飾り給え。バッコスの花冠はバッコスの詩人に相応しい。
収穫された豊穣なブドウが満杯の大桶で泡立ち、どんなブドウの房であれ、大きな酒壺を満たすように。ブドウ農家が自身の収穫に驚くような、大きな果実で豊穣の喜びが生まれるように。もしこの詩を書く我れに新たな果汁を与え給えば、これ以上に我が胸をムーサ女神の炎で膨らませるものはない。
今我れは熱烈にカスタリアの泉を求め、大望をもってアオニアの水に渇しているわけではない。ヘリコン山はしばしば詩人ヘシオドスに、その冷たい泉から雄弁の水を気前よく注ぎ出した。しかし我れには、神々の中で最も賢い父なる神よ、より多くの確かな泉からフランコニア公領のファレルヌムの銘醸を注ぎ出し給え。我れはムーサ女神の霊

Bacche, pater vātum, dulcissime, Bacche, deōrum,
  tū mea nectareō^ corda ^liquōre movē[2].
Nōn ego* compostīs hederā laurōque corōnīs
  cingere dīvīnum^ quaerŏ[3] *poēta ^caput.
Tālia grandiloquī^ sūmant[3] sibi praemia ^vātēs, 25
  quī fera sublīmī^carmine bella sonant[1].
Pampineīs potius cingās[3] mea tempora sertīs;
  nam Bacchī vātem bacchica serta decent[2].
Fac[3i], fēlīx^ plēnīs spūmet[1] ^vīndēmia lābrīs,
  impleat[2] ut magnum quaelibet^ūva cadum. 30
Proveniant[4] largō^ geniālia gaudia ^fructū,
  horreat[2] ut messēs^ vīnitor^ipse ^suās.
Nōn mage Pīeriīs crescent mea pectora flammīs,
  quam mihi^scrībentī sī nova musta dabis[0].
Nōn ego^ Castaliās nunc postulŏ[1] ^fervidus undās, 35
  nōn sitiō[4] Āoniās ^ambitiōsus aquās.
Saepe Helicōn vātī* fācundās largiter undās
  ē gelidīs^ fūdit[3] ^fontibus *Hēsiodō.
At nōbīs fundās[3], dīvum sapidissime^, dē plūs
  Francica sēcūrō^fonte Falerna, ^pater. 40

24 **dīvīnum caput**「神の頭」戯言か。27 **pampineīs:** -us, a, um, *adj.*「ブドウの蔓葉の」30 **cadum:** cadus, ī, *m.*「酒壺」双取手のアンフォラ。33 **Pīeriīs:** -us, a, um, *adj.*「ムーサ女神の」35 **Castaliās:** Castalia, ae, *f.* パルナッソス山のムーサ女神の泉。36 **Āoniās:** -us, a, um, *adj.*「ムーサ女神の」37 **Helicōn**, ōnis, *m.* ギリシア中東部の山、アポロ神とムーサ女神を祭る。39 **Hēsiodō:** Hēsiodus, ī, *m.* 紀元前9世紀のギリシアの叙事詩人。40 **Francica:** -us, a, um, *adj.*「フランコニア公領の」ドイツ中世のマイン川流域の公爵領。**Falerna:** Falernum, ī, *n.* 古代から称揚されたローマ南方産のブドウ酒。銘醸の代名詞。

泉からの千杯よりは、バッコス神よ、むしろ神からの酒杯一杯を飲むことを好む。それ故に、もし新たな歌により神の祭礼が執り行われることを神が望むならば、流れるブドウの露により我が喉を湿らせ給え。

まともな酒宴

我が心は大食漢の群れのために書くことに燃えているわけではない。彼らは昼夜を問わず君の資力を浪費する。我れがこれから歌うのは、まともな酒宴と許された酒だ。我が歌には、大酒飲みの大食漢、醜い大食い、恥ずべき酩酊の常習者、さらに君にとって完全に憎むべき輩はいないだろう。彼らは行動、態度、厚顔において恥ずべきであり、飲みのすべての限界を踏み越えている。彼らはこれを意に介さずすべての体面を軽べつする。そのような彼らを我れは我が技法から遠く遠ざける。我れは彼らが人ではなく、醜いブタであると断定する。もし、ブタよりも醜いものがありえれば、彼らはそれだ。徳義の思いに打たれ、名誉に導かれ、よい評判に動かされる、そのような人々のために我が義甲（ピック）は響く。彼らとともにならば、慎み深い母たちも汚れのない処女も、貞淑を傷つけずに敢えて酒を飲むだろう。

Ā tē ūnum calicem mālō° pōtāre, Lyaee,
mīlia quam fontis^ pōcula ^Pēgaseī.
Quārē vītifluō^ mea prolue[3] guttura ^rōre,
sī tua vīs° tollī carmine^ sacra ^novō.

Haud mihi mēns ārdet[2] lurcōnum scrībere turbae*, 45
nocte diēque tuās^ *quae male perdit[3] ^opēs.
Symposium licitum, concēssaque vīna canēmus[3],
nōn erit in nostrō^carmine lurcŏ bibāx,
nōn turpis comedō, nōn ēbrietāte frequentī
īnfāmēs, penitus gēns^odiōsa tibi. 50
Quī neque sunt factīs, neque fronte, vel ōre pudīcī,
omnem^ quī superant[1] sorbitiōne ^modum.
Quīs nihil est pēnsī, quīs spernitur[3] omnis^honestās,
hōs ego submoveō[2] prōrsus ab arte^meā.
Quōs bene nōn hominēs, sed foedōs iūdicŏ[1] porcōs, 55
et sī quid porcīs foedius esse potest°.
Hīs mea plēctra sonant[1], ratiō quōs tangit[3] honestī,
et quōs dūcit[3] honōs, et bona fāma movet[2],
cum quibus audēbunt[2] mātrēs^ pōtāre ^pudīcae,
castaque^ nōn laesā ^virgō pudīcitiā. 60
Et nē longa brevem^ vincant[3] exōrsa ^libellum,
hinc meus ā prīmō^carcere currat[3] equus.

41 **Lyaee:** Lyaeus, ī, *m*. バッコス神のあだ名。42 **Pēgaseī:** Pēgaseus, a, um, *adj*.「ムーサ女神の」53 **quīs:** *mihi* nihil pēnsī est「我れは意に介さない」56 **porcīs:** 比較級 foedius に対する比較の奪格。57 **hīs** 〜 quōs. **plectra:** -um, ī, *n*.「義甲」61 **exōrsa,** ōrum, *n*.「前置き」62 **carcere:** carcer, eris, *m*.「囲い」の意から、牢獄、競技場の出発点。

長い前置きが簡潔な小冊子を打ち負かすことがないように、ここで我が駒を最初の出発点から進めよう。

巻一の構成

まず初めに、我れらの飲み方には三つの様式と方法がある。すなわち、我が家で独杯を上げる。または、どこか外に出て、酒を飲むべき何れかの仲間と会う。または、公の酒宴の喜ばしい出席者として、集まっている人々とともに生の酒を飲む。しばしば我れらは親類や友人に呼ばれ、しばしば新郎は我れらを祝宴に招く。
これら三つの酒席で与えられる酒を如何に大過なく飲むか、それがこの歌の主題となるだろう。

家飲みの利点

誰であろうと、君が酒と楽しく付き合うことを求め、面白く生きることを欲する時は、家で飲むように。家は親しみがあり、最高だと言われている。君がより安楽に、より自由に生きることができる場所はほかにない。特に、もし君に法的に結ばれた、親愛なる

Prīncipiō triplicī bibimus[3] ratiōne modōque,
scīlicet aut nostrae^ pōcula sōla ^domī,
aut aliquōs^ nōbīs sorbenda ad vīna ^sodālēs 65
iungimus[3] ēgressī quōlibet ante forās.
Sīve frequentantēs^ convīvia pūblica ^laetī
cum populō^ bibimus[3] ^conveniente merum,
saepe ā cognātīs, ā saepe vocāmur[I] amīcīs,
ad sua nōs spōnsus gaudia saepe vocat[I]. 70
Hīs ut inoffēnsē mēnsīs data vīna bibāmus[3],
haec tria māteriēs carminis^hūius erit.

Iam quīcumque cupis[3i] vīnō geniāliter ūtī,
et vīs[o] iūcundē vīvere, vīve[3] domī.
Fertur[o] amīca domus, fertur[o] domus optima;
nusquam 75
vīvere commodius līberiusque potes[o],
praecipuē tibi sī fuerit dīlecta iugālī*
lēgitimē coniūnx associāta *torō,
quae sit fēmineī^ specimenque decusque ^pudōris,
et studiōsa domūs, et studiōsa virī, 80

68 **merum**, ī, *n*.「生（き）の酒」ローマ時代にはvīnumは水で割って飲むのが通例で、水などを混ぜないmerumと区別した。72 **tria māteriēs:** 家飲みは 73 行、外飲みは 197 行、酒宴は 467 行からそれぞれ始まる。73 **ūtī:** ūtor, ūtī, ūsus「付き合う」奪格をとる。74 **vīve**[3] = bibe[3] 音韻と活用の類似による冗語。77 **tibi sī fuerit:**「もし君のものであったならば」79 **quae sit:**「その妻は、〜であるように」以下やや皮肉または願望ともとれる言葉が続く。80 **studiōsa:** -us, a, um, *adj*.「注意深い」通常属格をとる。

妻が婚礼の床にいる時には。
　その妻は、女性の貞淑の上品な模範であるように。即ち、家に気を配り、夫にも注意深い。傲慢で口悪ではなく、不快な顔の田舎者でなく、野育ちのまゆ毛で威嚇もしない。その妻は、猛々しい言葉を使う下品でけんか好きな女でもなく、怒る夫をなだめる術をよく心得ている。貞淑な妻は適度な容姿の喜びで飾られ、外の床での不品行な策術を拒絶する。陰謀を知らず、不正の欺瞞も知らない。正直だが愚鈍からは遠い、そのような女でありたい。
　彼女とともに、落ち着いた家の中でバッコス神に礼拝を捧げるように。彼女一人で好ましい仲間は十分だろう。君は忠実な妻よりも、どのような仲間を優先できようか。彼女たちよりも、どのような諸兄を上に置きたいか。妻は仲間より誠実であり、兄よりも忠実だ。晴れやかな新妻は母の誠実さに打ち勝つ。仲間の誠実さは稀だが、妻は常に最も忠実だ。君は妻の胸と杯にはどのようなことも敢えて打ち明ける。
　妻は君とともに不安な心配事の心痛を減し、その勤勉さで家のすべてを支える。彼女は君と同じ心痛で応え、同じ愛で君の心の炎を分かち合う。妻は主人であり夫である君に熱心に仕え、頭と心と胸で君を愛し、抱きしめる。彼女は悲しむ君を晴れやかにし、

lāscīvō^ nōn ^ōre procāx, nōn rustica dūrā^
frōnte, nec agrestī torva superciliō,
quae neque sit saevīs iurgātrix^aspera dictīs,
plācāre īrātum sed bene docta virum,
quam castam decoret[1] moderātae grātia fōrmae 85
spernentem externī turpia fūrta torī,
sit nōn gnāra dolī, sit prāvae^ nescia ^fraudis,
sit mulier simplex, absque stupōre tamen.
Hāc^praesente domī lēnī fer[o] sacra Lyaeō,
haec erit ūna satis dulce^sodālicium. 90
Quōs^ potes[o] uxōrī fīdae praeferre ^sodālēs?
Quōs^ illī ^frātrēs praeposuisse velīs[o]?
Fīdior est sociīs, est frātre fidēlior uxor,
et mātris vincit[3] candida nupta fidem.
Rāra^fidēs sociīs; semper fīdissima coniūnx, 95
cūius in audēbis[2] fundere quaeque sinum.
Sollicitīs tēcum cōnsūmitur[3] ānxia cūrīs,
sustinet[2] haec tōtam sēdulitāte domum.
Illa tibī paribus^cūrīs respondet[2], et aequat[1]
illa tuī flammās cordis amōre^parī. 100
Haec studiōsa tibī servit[4] dominōque virōque,
tē colit[3] atque fovet[2] pectore, mente, sinū.
Exhilarat[1] tristem, pressum levat[1] illa dolōre,
semper in aequālī^parte labōris adest[o].

82 **superciliō**: -um, ī, *n*.「まゆ毛」83 **iurgātrix**, īcis, *f*.「けんか好きな女」88 **absque** = et ab. 89 **sacra**: sacrum, ī, *n*.「礼拝」96 **sinum**: sinus, ūs, *m*.「胸」とsinum, ī, *n*.「酒杯」を掛けた冗語。102 行 sinūも参照。

痛みに沈む君を持ち上げる。彼女はいつも等分の苦労で協力し、ウェヌスの貞淑な贈り物で君を喜ばせる。そして多くの場合、君を新しい子孫の父とすることで君を豊かにする。
　家では敢えてすべてのことができる。家の中では君が主人だ。君が傷つけるかもしれない人は君と飲んでいない。ただ妻だけが君と生の酒の美味を楽しむ。この場合、彼女は君の流儀に具合よく慣れている。彼女は君の人生を知っているし、君のすることも知っている。君の言葉に耐えることもよく分かっている。君は一層の好意により妻の君への愛を勝ち取る。もし君とともに彼女が与えた酒を飲めば、君は外で満杯の酒甕を飲み干すよりも大きな快楽を一杯の酒酌み器から汲み取る。
　さらに可愛い彼女は、自分が夫の君にとって価値のないものではなく、まったく君の心のものだと感じるだろう。また彼女一人が家で空のかまどの前で渇きを感じる時に、君一人が放蕩な人生を楽しんでいるとも思わないだろう。君は心の底から喜び、心おきなく笑うことができ、口に上るすべてを語ることが許される。
　このように家で飲めば、君が外で飲むときに耐えなければならない少なくない苦しみを避けることができよう。外での苦しみとは、隠された侮辱、おどけの言葉、婉曲な辛辣さ、沢山の悪い言葉のあざけり、嘲笑者のおどけたしかめ面、あざけりの鼻の皺と哄

Dēlectat castō^ Veneris tē ^mūnere, crēbrō 105
prōle^novā laetum^ tē facit[3i] esse ^patrem.
Cuncta domī audēbis[2]; dominātis[1d] in aedibus ipse.
Tēcum, quem possīs[0] laedere, nēmŏ bibit[3].
Sōla^ merī tēcum fruitur[3d] dulcēdine ^coniūnx,
quae nunc assuēvit[3] mōribus^ apta ^tuīs. 110
Gnāra tuae vītaeque tuī iam gnāra ferendī,
dictōrum^ patiēns et bene docta ^tuum.
Obsequiō^māiōre tibī dēvincis[3] amōrem
coniugis; haec tēcum sī data vīna bibit[3],
plūsque voluptātis cyathō dēcerpis[3] ab ūnō, 115
quam sī persiccās[1] dōlia plēna forīs.
Nōn ita sē* vīlem tibi^ sentiet[4] esse ^marītō
*cāram, sed cordī^ funditus esse ^tuō,
nec mollī^ sōlum^tē ^vītā rēbitur[2d] ūtī,
sōla domī vacuōs dum sitit[4] ante focōs. 120
Ex animō gaudēre potes[0], rīdēre solūtus,
et quae^ bucca feret[0], dīcere ^cuncta licet[2].
Sīc nōn pauca domī pōtāns vītābis[1] acerba,
quae tibi^pōtantī sunt subeunda forīs:
occultōs^morsūs, ioculāria dicta, salēsque^ 125
oblīquōs, linguae scommata multa malae,

05 **Veneris**: Venus, Veneris, *f*. 愛欲の女神。09 **fruitur**: fruor, uī, frūctus「楽しむ」通常奪格をとる。12 **tuum** = tuōrum. 15 **cyathō**: cyathus, ī, *m*.「酒酌み器」16 **persiccās**: persiccō, āre「飲み干す」**dōlia**: dōlium, ī, *n*.「酒かめ」18 **funditus**, *adv*.「全く」19 **rēbitur**: reor, rērī, ratus「思う」25 **morsus**: morsus, ūs, *m*.「侮辱」**salēs**: sāl, salis, *c*.「塩」から「機知、辛辣」26 **scommata**: scomma, atis, *n*.「あざけり」

笑、おどけた饒舌による軽い冗談の数々、それに加えて、些細なことからいつでも起こる、不品行な試合での恥ずべき争い、などだ。

さて、君は外の酒に出かけて自分の家を打ち捨てたことを後悔し、不快な言葉の争いやその他の気品のある男には相応しくないことに耐えた時が何度あったのか。飲む者は外では絶え間ない嵐のようにしばしば悪に襲われるが、平穏な家の中では守られる。外でしばしばあるように、君の言葉を外に漏らそうとして、悪意のある耳でそれを狙うものは誰もいないだろう。無造作に口から滑り出れば、出た言葉は本人の首を取りに戻ってくるのだ。

すでにこの短い詩で我がムーサ女神は、いかに家の神が君に安全で楽しい酒を与えるかに触れた。しかし誰が家の安楽のすべてを表すことができようか。そこでは平和と愛、そして深い休息が支配する。そこでは平穏な人生による調和と、夫婦の神聖な結合による信頼が開花する。家よりも安全でより良い場所はありえないだろう。嵐が強い風でそこを乱すことは稀だ。

自分の家で独り飲むことが温かく迎え入れられる人には、我れが教えるところの技法は必要がない。

et dērīsōris sannās, nāsum, atque cachinnōs,
　scurrīlīque^ levēs ^garrulitāte iocōs,
īnsuper indecorēs^ turpī certāmine ^rixās,
　quae surgunt[3] causā saepe movente levī. 130
Dic[3] age tē^ quotiēs ad vīna aliēna ^profectum
　paenituit[2] propriam^ dēservisse ^domum,
vel cum rixantēs linguīs es passus[3id] amārīs,
　aut alia ingenuō nōn bene digna virō.
Hīs pēiōra domus^ prohibet[2] ^tranquilla, bibentem 135
　quae forīs assiduō^turbine saepe petunt[3].
Vēnārī nēmō tua dicta studēbit[2] inīquīs^
　auribus, ut cupidīs efferat[0] illa forās,
saepe quod externē fit, ubī temerē excidit[3] ōre,
　prōdita^ per iugulum ^vōx reditūra suum. 140
Quam dent[0] tūta tibī iūcundaque vīna Penātēs,
　carmine^ perstrinxit[3] iam mea Mūsa ^brevī.
Sed quis cuncta domūs comprēndere commoda possit[0]?
　In quā pāx et amor rēgnat[1], et alta^quiēs.
In quā tranquillae flōret[2] concordia vītae, 145
　atque marītālis cōpula sancta, fidēs.
Quā melior poterit[0] nec tūtior esse receptus,
　quem tumidīs ventīs rāra procella movet[2].
Cui^ nunc arrīdent[2] ^sōlī sua tecta ^bibentī,
　illī quam doceō[2], nil opus arte^meā est. 150

27 **sannās:** sanna, ae, *f.*「おどけたしかめ面」28 **scurrīlī:** scurrīlis, e, *adj.*「おどけた」**garrulitāte:** garrulitās, ātis, *f.*「饒舌」ともに奪格。41 **Penātēs**, ium, *mpl.*「家の神」から「家」45 **concordia**, ae, *f.*「調和」46 **cōpula**, ae, *f.*「結合」47 **receptus**, ūs, *m.*「避難所」

自分の流儀で生きることが当然な人のために、我れは飲みの形と掟を書き下ろすことを決意したのではない。彼らの杯は、我が法の下になく、彼らは気に入った時にその好みによって飲めばよい。彼らは教師、監督として自分の支配する家で自己の人生の道理を楽しめばよい。

家飲みの注意点

とはいえ、注意すべきは、あまり傲慢なことを口にしないこと、また度を超して奔放なこと、柔和な耳には不快なこと、奴僕に裏切られたら自分に有害になること、を発言しないことだ。

君には何人の奴僕がいるか。君にはそれと同じ数の敵がいる。どちらの信頼も同じように儚い。彼らは以前によくない待遇を受けた家を去ると同時に、直ちに聞いたことを公にする。そのような危険に注意し回避するために、君はより控えめな言葉で話すように努め、君の奴僕の君に対する誠実さと信頼性を沢山の指標によってよく知っておくように。

しばしば我れらは、家で飲んだところで弁舌が滑って泳いだ時に、不用意な言葉で多

Illī ego nōn statuī[3] fōrmam, nōrmamque bibendī
condere, cui fās est vīvere mōre suō.
Illĭus haud nostrās^ veniunt[4] sub pōcula ^lēgēs,
sed bibat[3] arbitriō, cum libet[2], ille suō,
atque suae ūtātur[3d] vītae ratiōne magister 155
et rector propriā^ sub ^diciōne domūs.

Sed tamen hōc caveat[2], nē sit nimis ōre^procācī,
et nē, quam deceat[2], līberiōra sonet[1],
aut quae offendiculō tenerīs^ sint ^auribus, aut quae
prōdita per famulum sint nocitūra sibi. 160
Quot tibi sunt famulī, totidem tibi sunt inimīcī,
hōrum atque illōrum fluxa^ perinde ^fidēs.
Invulgant[1] audīta semel simul atque relinquunt[3]
nōn bene tractātī tecta priōris herī.
Tālia quō possīs[0] vītāre perīcula cautus, 165
fac studeās[2] linguae parcior esse tuae,
aut tibi servōrum probitāsque fidēsque tuōrum
plūribus^indiciīs sit bene nōta tibi.
Plūrima saepe domī sēcūrō^ effundimus ^ōre,
cum natat[1] in madidō lubrica lingua locō, 170
quae vulgāta forās pariunt[3i] convīcia, lītēs,

53 **sub** + nostrās lēgēs, noster = meus. 56 **diciōne:** diciō, ōnis, *f.*「支配」61 **totidem**, *adj.*「それだけ多くの」62 **perinde**, *adv.*「同様に」64 **herī**, *adv.*「昨日」から「以前に」66 **parcior:** parcus, a, um, *adj.*「控え目な」比較級、属格をとる。69 **securo:** sēcūrus, a, um, *adj.*「不用意な」71 **convīcia:** convīcium, ī, *n.*「喧噪」**lītēs:** līs, lītis, *f.*「口論」

くを打ち明け、それらが外で公開されると、喧噪、口論、侮辱、敵対、論争、けんか、おどしなどを惹き起こす。
これらのことを避けるためには、君は家で常に誠実に飲み、節制が必要だ。もし誰かが自分の館で節制を保つのを常とするのであれば、彼は外でも容易な方法で節制を旨とするだろう。要するに、主人と父権者は、家人に対し誠実さに関する公正な規律があるように努めなければならない。同様に、家の内外を問わず品格を忘れないことが相応しいし、家の内外を問わず生活には節制が適当だ。喧噪を避け静かな酒を楽しむ我が階級の既婚者には、このことは簡単に伝えればよいだろう。もし彼らがこの掟に緩むことなく従ったならば、彼らは我が技法により間違えなくより賢く飲むだろう。

バッコス神祈願・その二

バッコス神よ、急ぐ詩人を生の酒で駆り立て続け給え。神はこれ以上に強い蹴りを決して持ちえない。たとえ緩慢にではなく我れが自発的に走ろうとも、もし全知であれば、生の酒を自発的に走る者に加え給え。神は才能を作り、歌に力を与え、天の熱で凍てつく心を動かし、ムーサ女神よりも優れ、アポロン神より偉大で、賢い詩人たちの唯一の

probra, simultātēs, iūrgia, bella, minās.
Hīs obsistendīs pōtandum est semper honestē,
et sūmenda tuae^ vīna modesta ^domī.
Aedibus^ in ^propriīs sī quis solet[2] esse modestus, 175
ille forīs facilī^mōre modestus erit.
In summā, studiō fuerit dominōque, patrīque,
ut sit honestātis rēgula iusta suīs.
Et forĭs atque domī pār est meminisse decōrī,
et forĭs atque domī sōbria vīta decet[2]. 180
Ōrdinis^ haec ^nostrī breviter sint dicta[3] marītīs,
quōs extrā strepitum vīna quiēta iuvant[1].
Quae sī nōn lĕniter fuerint praecepta secūtī[3d],
haud dubiē nostrā^ doctius ^arte bibent[3].

Perge[3], Lyaee, merō properantem impellere vātem, 185
fortius^ hōc numquam ^calcar habēre potes[o].
Et quamvīs ultrō curram[3] nōn segniter, illud
ultrō currentī, sī sapis[3i], adde[3] tamen.
Tū facis[3i] ingenium, tū das[o] in carmina vīrēs,
frīgida caelestī^ corda ^calōre movēs[2], 190
tū melior Mūsīs, tū māior Apolline, sōlum
cēnseŏ[2] tē^ doctīs^vātibus esse ^patrem.

72 **probra**: probrum, ī, *n*.「侮辱」**simultātēs**: simultās, ātis, *f*.「敵対」**iūrgia**: iūrgium, ī, *n*.「論争」77 **studiō dominō**: sumと共に「主人にとって仕事である」二重与格。78 **suīs**「家人」79 **meminisse**: meminī, isse「忘れない」属格をとる。82 **strepitum**: strepitus, ūs, *m*.「喧噪」83 **lēniter**, *adv*.「緩く」86 **calcar**, āris, *n*.「拍車」87 **ultrō**, *adv*.「自発的に」91 **Apolline**: Apollō, linis, *m*. 音楽、予言等の神。

父であると我れは思料する。すでに我れに飲みの新しい姿、新しい形が生まれ、神は我れに新しい力が必要であることを知っている。なぜならば、個人の家を離れて出掛けることは気に入るし、飲む杯を外で味わうことは楽しいからだ。

外飲みの利点

外に出て気の利いた仲間と出会うのは喜ばしい。仲間との交わりには多くの喜びがある。家は親しみ易く、常に最高であって欲しいが、万人にとって妻が家で親しみ易いとは限らない。

ソクラテスのあのクサンティッペがそうであったように、そのような人にとって、家にいる妻はけんか好きで気むずかしい。［中略］そのような野獣にいつまでも耐え抜くよりは、黒い悪魔と生きる方がはるかに平穏だ。

ぐずの亀は自分の殻の中で常に生きればよい。老婆は燃えるかまどの前でぶつぶつ言っていればよい。しかし、光が似合う男には、つまらないヤドカリのように、家の番人であることは相応しくない。

そして、誰が絶え間ない労苦に耐えることができよう。誰が仕事に常に心を配ること

Iam nova^ mī ^faciēs oritur[4d] nova fōrma bibendī,
cernis[3] opus nōbīs vīribus^ esse ^novīs.
Nam prōdīre libet[2] prīvātaque linquere tecta, 195
et gustāre forīs pōcula sūmpta placet[2].

Prōgressum lepidōs^ iuvat[1] accessisse ^sodālēs,
multum laetitiae turba sodālis habet[2].
Estŏ, domus sit amīca, domus sit et optima semper,
omnibus haud tamen est uxor amīca domī. 200
Sunt quibus est rixōsa domī mōrōsaque coniūnx,
quālis Xanthippē Sōcratis illa fuit. 202
Mītius est longē cum daemone^ vīvere ^nigrō, 209
quam semper tālem pertolerāre feram. 210
Vīvat[3] tarda^ suā ^testūdō semper in aulā,
et vetula ardentem^ murmuret[1] ante ^focum.
Dignōs lūce virōs custōdēs esse domōrum
dēdecet[3], et conchīs^vīlibus esse parēs.
Et quis continuōs^ queat[0] exhaurīre ^labōrēs? 215
Quis semper studiīs invigilāre potest[0]?

93 **mī** = mihi. 02 **Xanthippē**, ēs, *f*. ソクラテスの妻、悪妻の典型とされる。**Sōcratis**: Sōcratēs, is, *m*. 古代ギリシアの哲人。**203-208** 原書第二版で追加された女嫌いの6行を省略。09 **mītius**: mītis, e, *adj*.「平穏な」比較級、quamと共に。10 **pertolerāre**: pertolerō, āre, āvī「耐え抜く」12 **vetula**, ae, *f*.「老婆」14 **conchīs**: concha, ae, *f*.「ヤドカリ」

ができよう。腕で不断に張る弓は砕ける。強く締めすぎた楽器の弦は破れる。交互の休憩をしばしば欠くときは、生来の仕事も長い間は続かない。
心の心配と苦しみは和らげる必要がある。心を楽にするには緩和剤が必要だろう。さらに、疲れた体の四肢は再生しなければならず、祭りの時節はその時の生の酒で祝わなくてはならない。ティブルスよ、君は昼から祭りの酒にひたることに赤面しなかった。我れも昼から祭りの酒にひたることに赤面しないことにしよう。
すべての人を排除して、ずっと家に隠れている人は、人間の生涯における義務を忘れていることを加えておこう。彼が徐々に無感覚になり、日の光を見て呆然とするようになれば、彼は不活発で、陰気で、役立たずになる。彼は人との交際を憎み、避け、逃げ、次の一言だけを覚えている。即ち、
「私は誰も好まない。誰も私の本当の友達でない。誰とも一緒にいない時にだけ、私の人生は甘美だ。」

飲み友を選ぶ

君は、家を離れて我れとともに飲み、喜び顔で陽気な日を過ごし、人間嫌いのティモ

Frangitur[3] assiduē manibus quī tenditur[3] arcus,
  et nimis intensae^ dissiluēre ^fidēs,
et studium ingeniī nōn est dūrābile longō^
  tempore, sī alternā^ saepe ^quiēte caret[2]. 220
Laxandae mentis cūrae sunt atque dolōrēs,
  quaerendum facilī^mente levāmen erit.
Sunt etiam fessī^ refovendī corporis ^artūs,
  sunt celebranda suō tempora fēsta merō.
Nōn rubor est fēstā^ tibi ^lūce madēre, Tibulle; 225
  nec mihi sit fēstā lūce madēre rubor.
Adde[3] quod hūmānae dēdiscit[3] mūnia vītae,
  quī latet[2] exclūsīs^omnibus ūsque domī.
Et sēnsim brūtēscit[3]; iners, mōrōsus, ineptus
  redditur[3], aspectā dummodo lūce stupet[2]. 230
Convīctūs hominum vītat[I] fugitatque[I] perōsus,
  hōc ūnum memorī semper in ōre tenēns:
"Nēmine dēlector[I], nēmō est mihi grātus amīcus,
  cum sōlō est dulcis nēmine vīta mihi."

Quī cupis[3i] ergo domō^ mēcum pōtāre ^relictā 235
  gaudentīque^ hilarem sūmere ^fronte diem,

18 **fidēs**, ium, *fpl*.「弦楽器」20 **alternā:** alternus, a, um, *adj*.「交互の」22 **levāmen**, minis, *n*.「緩和薬」25 **Tibulle:** Tibullus, ī, *m*. 前 1 世紀ローマの哀歌詩人。26 **madēre:** madeō, ēre, maduī「ぬれている」から「酒にひたる」27 **mūnia**, ōrum, *npl*.「義務」29 **brūtēscit:** brūtēscō, ere「無感覚になる」31 **convīctus**, ūs, *m*.「交際」**perōsus**, a, um, *adj*.「大いに憎んでいる」

ンの性格を軽蔑し、親しく穏やかな交際と美味い酒を追求したい。その君が酒を飲みながらバッコス神を祭る時に、我れが非常に重要と思うことは、君が誰と一緒にいたいか、君の飲み友は誰か、誰の仲間でいたいか、そして君はどんなことに秀でた人を求めるのか、である。

実際のところ、素質、性格、技量において同等でなければ、すべての人がすべての人に全く適合することは確かにない。異なった者の間で調和があることは稀で、同等でない仲間内からしばしば諍いが起こる。

水夫は水夫と、兵士は兵士と飲むように。

ヒツジの放牧に馴れた人はヒツジ飼いと、医者は医者と、農夫は田野を耕す者と飲むように。暇な靴職人は靴職人と杯を讃えるように。

僧侶は僧侶と、埋葬人は死体運搬人と、娼婦はおべっかの娼妓と共につばするように。

役人は役人と、また律法学者は律法学者と、大酒飲みは大酒飲みと、ラバ引きはラバ引きと乾杯するように。

御者は御者同士で和睦し、奴隷は隷属の境遇の中にある仲間のシルスを求めるように。

結局、人は皆、自分の性格に合った人を同等の飲み友として探し、受け入れるように。

atque, misanthrōpī dēspectō^mōre Tĭmōnis,
convīctūs^facilēs et bona vīna sequī:
permāgnī rēferre putō[1] cultūrus Iacchum
sorbendō vīnō, cum quibus esse velīs[0], 240
quōs compōtōrēs tibi, quōs velĭs[0] esse sodālēs,
tum quibus ōrnātōs mōribus esse petās[3].
Esse etenim haud aptōs^, vērē liquet[2], omnibus ^omnēs,
nī sint ingeniō, mōribus, arte parēs.
Inter dissimilēs rāra est concordia, crēbrō 245
surgit[3] ab imparilī^ turba ^sodāliciō.
Nāvita cum nautīs pōtet[1], cum mīlite mīles;
cum pāstōre bibat[3] pāscere doctus ovēs,
cum medicō medicus, cum rūra colente colōnus;
cum sūtōre colat[3] pōcula sūtor iners; 250
cum monachō monachus, cum vespillōne pȳtisset[1]
pollinctor, blandā^ cum ^meretrīce lupa;
līctōrī līctor, sed scrībae scrība propīnet[1],
lurcō lurcōnī, mūliŏ mūlotribae;
aurīga aurīgam iungat[3] sibi; verna sodālem* 255
quaerat[3] servīlī^conditiōne *Syrum.

37 **Tĭmōnis:** Tīmōn, ōnis, *m.* 前5世紀末のアテナイの伝説的人間嫌い。39 **permāgnī:** -us, a, um, *adj.*「非常に重大な」**rēferre:** rēfert, rēferre, rētulit「重要である」属格をとる。**Iacchum:** Iacchus, ī, *m.* バッコス神。42 **ōrnātōs:** -us, a, um, *adj.*「秀でた人」46 **turba**, ae, *f.*「諍い」50 **sūtor**, ōris, *m.*「くつ職人」51 **vespillōne:** vespillō, ōnis, *m.*「死体運搬人」**pȳtisset:** pȳtissō, āre「つばする」52 **pollinctor**, ōris, *m.*「埋葬人」**meretrīce:** meretrīx, īcis, *f.*「娼婦」**lupa**, ae, *f.*「娼婦」54 **lurcō**, ōnis, *m.*「大酒飲み」**mūliō**, ōnis, *m.*「ラバ引き」55 **aurīga**, ae, *c.*「御者」56 **Syrum:** Syrus, ī, *m.* ローマ喜劇での典型的なシリア人奴隷。

本性、興味、性格、技量、地位において似通い、同等である仲間は、全く不本意でなく和合する。

しかし、選択を誤らないように用心したい。似て見えてもあまり似ていないことがしばしばある。もし相手の性格が異なれば、似て見える友のことをいつも喜ぶとは限らない。ある者は興味が似ているが性格が異なり、他の者は性格が似ていても技量が異なる。この点で過ちを犯さないように、先生の言うことを聞き、その忠告を柔和な心に蓄えるべきだ。

純粋な心情で、快活な仲間を選びなさい。その仲間は、機知に富み、愛想がよく、上品な威厳がある。責任感が強く、宗教を愛する人々で、いかなる空虚な迷信にも支配されない。口は控え目で、言葉と行動に節制があり、賢いミネルワの貞淑な胸に抱かれている。

ムーサ女神、優雅の三女神、メルクリウス神、荒々しい射手のアポロン神は、その仲間それぞれに自分の贈り物を用意した。それは、雄弁の才能、竪琴、柔和な詩歌の女神、人間的な心、優れた天性、様々な学識、誠実さ、慎み、優雅さ、話しかけ易さ、友愛、愛情、信頼、である。

Dēnique quisque parem quaerat[3] sūmatque[3] bibōnem,
qu sibi, quīque suīs mōribus aptus erit.
Haud aegrē coeunt[0] similēs parilēsque sodālēs
nātūrā, studiīs, mōribus, arte, statū. 260
Nē fallāre tamen dēlēctū, prōvidus estō,
sunt etiam similēs, saepe parum similēs,
nec semper similis similem^ dēlectat[1] ^amīcum,
dissimilis sī sit mōribus ille suīs.
Est aliquis studiō similis, sed mōribus impar; 265
est alius similis mōribus, arte nihil.
Quō minus hīc errēs[1], fās est audīre magistrum,
et placidā^ suāsūs condere ^mente meōs.
Ēlige[3] iūcundōs sincērā^mente sodālēs,
festīvōs, cōmēs, et gravitāte probōs, 270
et pietāte gravēs et rēligiōnis amantēs,
quōs nōn ulla tenet[2] vāna superstitiō,
ōre verēcundōs, dictīs factīsque modestōs,
quōs fōvit[2] castō^ docta Minerva ^sinū,
quōs Mūsae et Charitēs, Cyllēnius, ācer et arcū 275
Dēlius ōrnārunt[1] mūnere quisque suō,
ēloquiī virtūte, lyrā, placidīsque Camēnīs,
hūmānīs animīs, dulcibus^ingeniīs,
doctrīnā variā, candōre, pudōre, lepōre,
affātū facilī, grātia, amōre, fide. 280

73 **verēcundōs**: -us, a, um, *adj*.「控え目な」74 **Minerva**, ae, *f*. ローマの知恵の女神。75 **Charitēs**, um, *fpl*. 優雅の 3 女神。**Cyllēnius**, ī, *m*. メルクリウス神。76 **Dēlius**, ī, *m*. アポロン神。77 **Camēnīs**: Camēna, ae, *f*. 詩歌の女神。80 **affātū**: affātus, ūs, *m*.「話しかけ」

彼らは、ギリシア語に精通し、ラテン語を知り、要するに古今の事情に通じている。彼らは、道義に導かれ、徳義の愛に触れている。いかなる小さな欲望も彼らを悪徳に引き込むことがなく、長い間にわたって彼らの品格と信頼が多くの指標により明らかに証明される。

そのような人々は、決して君に杯を強要せず、決して君を酩酊に導くこともないだろう。彼らは節制でとても熱心に、従うべき多数の善行の模範を君に与えてくれるだろう。もし君がよい人たちにうまく取り入ろうとするのならば、君はこの我が忠告を守って、悪い同胞に用心しよう。愉快な酒宴に忍び込むときは、君は彼らとともに飲み、彼らのそばの席に座るように努めるだろう。なぜならば、良いことはよい人たちから習い、悪い友たちと付き合うと、精神喪失を加速させるからだ。それゆえに、よい人たちと酒宴に参加すれば、将来いつか君は我れが我が生徒によい忠告を与えたと証言するだろう。

君が一緒に杯を上げる人々のあり方と同じように、常に君は民衆に評価されるだろう。君に関する民衆の意見は、君の仲間から生じる。君の優れた名声は、悪い仲間とともに滅びる。もし君が名高く高貴な名声を愛するならば、有力で穏健な人々と誼を結ぶように。その時には、品位のある形で君が自制する以上に、どんな飲みの技法も君には必要

Cecropiae doctōs linguae, gnārōsque Latīnae,
    quī nova cum prīscīs dēnique multa tenent[2];
quōs dūcit[3] virtūs, et amor contingit[3] honestī,
    ulla nec ad vitium prāva^cupīdŏ trahit[3],
tempore iam longō quōrum probitāsque fidēsque 285
    plūribus^indiciīs saepe probāta patet[2].
Tālēs tē numquam cōgent[3] ad pōcula, numquam
    hī tibi ductōrēs ēbrietātis erunt,
sed magis impēnsē virtūtum^ exempla ^bonārum
    plūra sequenda tibī sōbrietāte dabunt[0]. 290
Haec persuāsa tenēns cōnsortia^prāva cavēbis[2],
    dummodo tē studeās[2] īnsinuāre bonīs.
Hīscum pōtābis[1] convīvia laeta subintrāns,
    hīscum vīcīnā^sēde sedēre studē[2].
Ā bona namque bonīs discēs[3], dēperdere mentem 295
    accelerās[1] prāvae cultor amīcitiae.
Proptereā convīve[3] bonīs, testāberis[1d] ōlim
    mē bene discipulīs cōnsulvisse meīs.
Tālis enim semper vulgō cēnsēbere[2]; quālēs
    hī, quibus^adiūnctīs pōcula sūmis[3], erunt. 300
Ā sociīs dē tē subsurgit[3] opīniŏ vulgī,
    fāma perit[4] prāvō clāra sodāliciō.
Ergŏ gravēs tibi iunge[3] virōs, tibi iunge[3] modestōs,
    sī fāmam clārae^nōbilitātis amās[1].

81 **Cecropiae**: Cecropia, ae, *f.*アテナイ市。86 **patet** 非人称「明らかである」 91 **cōnsortia**: cōnsors, sortis, *m.*「同胞」 92 **īnsinuāre**: īnsinuō, āre「うまく取り入る」 93 **subintrāns**: subintrō, āre「忍び込む」 99 **tālis** = quālēs hī erunt. **cēnsēbere** = cēnsēberis. 未来受動。

がない。

有力者の首領と飲む

更には、もし君が有力者と付き合うことができるなら、可能な限り、首領と付き合うように。君の心地よい甘い性格と君の生活の安楽な快適さにより、彼らを獲得しなさい。従順と敬愛、愛想と公然の敬意、更に可能な限りの口実を使って、彼らと誼を結ぶように。彼らとしばしば飲めば、彼らと確かな友人になる。彼らは、重大な事態に追い込まれた時に、君を助けることができる。彼らを通して財産と名誉が将来もたらされ、君は権勢の最高の頂点を目指すことになる。なるべくなら、そこから君の名誉と実益が増加するような、役に立ちうる仲間の後を追うように。

誰とでも一緒に酒を嗜むべきだと思う人は、彼自身の評判をあまり気にしない。彼の存命中の功績は全く称揚されず、忘れられた場所に埋もれて隠れている。信頼は吟味されず、重さのない名前は消え失せる。功績を表わす敬意は、民衆にまで輝かない。

バッコス神の夜祭を価値のない者たちと祝うと、君も価値のない者になるだろう。価値のない奴隷がどのように君を支えることができよう。名高き者と親しめば君は名高い

Sīc tibi nōn ullā^ fuerit opus ^arte bibendī, 305
quam quod honestātis tē moderēre[id] modō.

Quīn etiam tibi sī potes[o] associāre potentēs,
quā poteris[o], procerēs associāre studē[2].
Hōs tibi conciliā[1] suāvī^dulcēdine mōrum,
et facilī^ vītae ^commoditāte tuae. 310
Obsequiō et cultū, tum promptō^ prōnus ^honōre,
et quōcumque potes[o] nōmine iunge[3] tibi.
Hīscum saepe bibēns firmōs tibi iungis[3] amīcōs,
quī gravibus^ pressō ^rēbus adesse queunt[o].
Per quōs dīvitiās, per quōs nactūrus honōrēs, 315
magnārum rērum culmina summa petēs[3].
Quī^ prōdesse queunt[o] potius sectāre[id] ^sodālēs,
unde accrēscit[3] honōs ūtilitāsque tibi.
Hunc hominum dē sē nōn turbat[1] opīniō valdē,
quī sibi cum quōvīs vīna colenda putat[1]. 320
Cūius nulla sonant[1] vīvae praecōnia laudis,
sed latet[2] obscūrō vīta sepulta locō,
nec spectāta fidēs, sed abit[o] sine pondere nōmen,
nec vulgō meritīs grātia nōta nitet[2].
Vīlis eris celebrāns cum vīlibus orgia Bacchī, 325
quō tē mancipium^vīle iuvāre potest[o]?

06 **moderēre** = moderēris: moderor, ārī「制する」08 **procerēs:** procer, eris, *m.*「首領」09 **conciliā:** conciliō, āre「獲得する」11 **obsequiō:** obsequium, ī, *n.*「従順」**prōnus**, a, um, *adj.*「愛想よい」15 **nactūrus:** nancīscor, ī「得る」16 **culmina:** culmen, minis, *n.*「頂点」17 **sectāre:** sector, ārī「あとを追う」21 **praecōnia:** praecōnium, ī, *n.*「称揚」

者となり、偉大な者と親しめば君は偉大な者と扱われるだろう。それ故に、より用心深くあるように。

避けるべき飲み友

第一に、性格が寂しいすべての難物を避けるように。彼らは、胸に鉄の心を持っている。彼らは人間の系統から生じたのではなく、トラから生まれ、野蛮な雌ライオンがその乳で育てた。彼らは人間の感情を欠き、彼らにとってすべてのものが軽蔑すべきものであり、彼らの心は冷淡な苦渋に支配されている。彼らは喜びにも愉快な酒宴にも適さない、愛のない悲しい野獣で、イヌのように猛る心を沈黙する腹に宿し、煩わしい言葉で皆に吠える。

実際に、何も気に入らず、一人で行ったこと以外は認めない人を、誰が楽しむことができよう。君が開放された容貌で生きたい時はいつも、このような人々をバッコス神の酒宴に参加させないように。

さらに、第一の者よりもっとよくない性格から生まれた、けんか好きな仲間にも用心し、避けるように。彼らは、血の争いを伴う様々な不和と、平穏な平和の敵である戦い

Clārus eris clārīs, et magnus habēbere[2] magnīs
　conversāns, ideō cautior esse studē[2].

Prīmum difficilēs praefrāctīs^mōribus omnēs
　effuge[3], pectoribus ferrea corda gerunt[3]; 330
stirpe^ satī[3] ^hūmānā nōn sunt, dē tigride nātī,
　effera quōs aluit[3] lacte^ leaena ^suō.
Sēnsibus hūmānīs vacuī, quibus omnia sordent[2],
　quōrum dūra^ tenet[2] pectus ^amāritiēs.
Laetitiae nōn sunt, nōn sunt geniālibus^ aptī 335
　^symposiīs, tristēs et sine amōre ferī,
quī* tacitō stomachō rabiōsum^pectus ĕdēntēs
　omnibus oblātrant[1] dicta molesta *canēs.
Cui nam quaesō[3] queat[o], cui nil placet[2], ille placēre,
　et, nisi quae sōlus fēcerit[3i], acta probat[1]? 340
Tālēs ad Bacchī laticēs admittere nōlī[o],
　explicitā^ quotiēs vīvere ^fronte cupis[3i].
Rixōsōs^ etiam caveās[2] fugiāsque[3] ^sodālēs,
　ingeniō^ prīmīs haud ^meliōre satōs.
Dissona sanguineīs illōs discordia rixīs, 345
　bellaque tranquillae^pāci inimīca iuvant[1].

25 **orgia**, ōrum, *npl.*「夜祭」26 **mancipium**, ī, *n.*「奴隷」27 **habēbere** = habēberis. 28 **conversāns:** conversor, ārī, ātus「親しむ」31 **satī:** serō, ere, sēvī, satum「生じさせる」32 **leaena**, ae, *f.*「雌ライオン」33 **sordent:** sordeō, ēre, duī「軽蔑すべきものである」36 **ferī:** ferus, ī, *m.*「野獣」37 **ēdēntēs:** ēdō, ere, didī, ditum「発する」38 **oblātrant:** oblātrō, āre「吠える」**39-40** Nam quaesō[3] cui ille^ queat[o] placēre, ^cui nil placet[2], et acta probat[1], nisi quae sōlus fēcerit[3i]? **placet**, ere「気に入る」与格支配。45 **dissona:** dissonus, a, um, *adj.*「様々な」

を支持する。この種族は、控え目なバッコス神の楽しい酒宴を彼らの争いと罪で混乱させるよりは、むしろ軍神マルスの陣営に従軍して、向こう見ずの手腕で恐るべき戦闘を行う方が適している。彼らは、常に非人間的で、常に残忍な武器を帯び、凶暴で、すべての妥当性を欠いている。

高慢で尊大なトラソたちをこれに加えよう。彼らは、全員に嫌われ、神を冒涜し、おしゃべりにわめき立てる。彼らより自慢するものはどこにもおらず、より空疎なものは地上にあり得ない種族である。彼らは、笑うべき自己愛によって盲目となり、それに阻まれて決して自分を正しく認識できない。神酒の液体のように酒が流れていたとしても、トラソたちの杯は酒宴で苦々しいものに戻る。

彼らの自慢は病気で、多くの不快を押し付け、それとともに多大な退屈をもたらす。彼らは、誰でも馬鹿にし、誰にも譲ることを知らず、賢者と善人を軽蔑する。彼らは、才能の力と磨かれた技量で際立つこともなく、すべての面で全く粗野だ。真の勇気の不当な酷評家でありながら、すべてのことで一番であることを欲する。

茶番を物語れば、彼らは歌人で詩人になる。歌えば、彼らはヘルモゲネスを声量で陵駕する。戦いについての会話があれば、トラソはすぐに無敵のアキレスになり、全く見

Aptius hōc^genus est, ut Martia castra sequātur[3d],
et gerat[3] audācī^ proelia dīra ^manū,
laeta verēcundī quam quod convīvia Bacchī
conturbet[1] rixīs crīminibusque suīs; 350
semper inhūmānum, saevīs est semper in armīs,
atque ferōx omnī^commoditāte caret[2].
Hīs adde[3] īnflātōs sublātā^mente Thrasōnēs,
invīsum cunctīs sacrilegumque^genus
obstreperum atque loquāx, quō nil iactantius
ūsquam, 355
quō nihil in terrīs vānius esse potest[o].
Quōs excaecāvit[1] rīdenda philautia, quā^ sē
^obstante haud umquam noscere rīte queunt[o].
Pōcula convīctū redduntur[3] acerbaThrasōnum,
quamvīs nectareō^ vīna ^liquōre fluant[3]. 360
Est vitiōsa suī iactantia, multa molesta
ingerit[3], et sēcum taedia multa trahit[3].
Subsannant[1] quōsvīs, ignārī cēdere cuiquam,
doctōs dēspiciunt[3]; dēspiciuntque[3] bonōs;
cumque nec ingeniī virtūte, nec arte polītī 365
ēmineant[2], omnī^ nōn nisi ^parte rudēs,
cēnsōrēs^ vērae tamen hī virtūtis ^inīquī
in cunctīs^ prīmās ^rēbus habēre volunt[o].

50 **conturbet**:-ō, āre「混乱させる」52 **commoditāte**: -ās, ātis, *f*.「妥当性」53 **Thrasōnēs**: Thrasō, ōnis, *m*. ローマ喜劇のほら吹き兵士。57 **excaecāvit**: excaecō, āre「盲目にする」**philautia**, ae, *f*.「自己愛」59 **convīctū** = convīviō. 63 **subsannant**: -ō, āre,「馬鹿にする」66 **ēmineant**: -eō, ēre, uī「際立つ」67 **cēnsōrēs**: cēnsor, ōris, *m*.「酷評家」

たこともない戦いを語る。芸術が称賛されれば、彼自身の芸術を自慢するだろう。歌で遊べば、彼は一端の詩家となるだろう。要するに、トラソは何についてでも話題があれば、常に饒舌に語る材料を保持している。

不面目な修道士の上衣を捨て、彼らの独房を放棄した逃走者は、これを仲間とすることを最も避けるよう、我れは君に特に命じる。新参の初心者よ、この種族はすべて不正だ。彼らは、黒色の衣服を捨てることはできるが、どんな理由でも黒い思考を捨てることができない。彼らは、間違いなく、心の闇で黒いカラスを陵駕し、黒さで黒いタールを陵駕する。彼らは、長い間慣れ親しんだ偽善と、偽りの修道院が長い間培った怪物の仲間である。

この種族は、おべっか使いに精通し、詐欺に最も通じ、分別のある者をだますことに堪能で、田舎者をだますことにも堪能だ。誠実には何も愛さず崇めずに、驚くべきお世辞ですべての人の胸に侵入する。誰がこれより酷いおせっかいな人たちを我れらに授けるだろうか。（この理由だけでも、この怪物は注意すべきと我れは思う。）

しかし、この歌で我れが非難したかったのは、すべての修道士ではない。善人でもこれらの巣窟から逃走したし、ミネルワの乳と胸に育まれ、学識に優れ、才能に恵まれた

Fābula nārrātur[I], sunt vātēs atque poētae.
  Cantātur[I], superant[I] vōcibus Hermogenem. 370
Dē pugnīs sermo est, fit[o] mox invictus^Achillēs,
  et memorat[I] numquam proelia^vīsa Thrasō.
Artēs laudantur[I], artēs laudābit[I] et ipse.
  Lūdīs carminibus, versificātor erit.
Dēnique cūiuscumque^reī fit[o] mentiŏ, semper 375
  Hīc^Thrasŏ māteriam garrulitātis habet[2].
Praecipuē īnfāmem^ quī dēposuēre ^cucullam,
  et profugī cellās dēseruēre suās,
hōs ego tē iubeō[2] summē vītāre sodālēs,
  hōc^ tōtum ^genus est, tīrŏ novelle, nigrum. 380
Nigritiem vestis possunt[o] dēpōnere, mentis
  nigrōrem nullā^ cum ^ratiōne queunt[o].
Exsuperant[I] furvōs animī nigrēdine corvōs,
  exsuperant[I] ātram^, crēde[3], nigrōre ^picem.
Quōs assuēta^ diū comitātur[Id] ^hypocrisis, atque 385
  quae fōvit[2] mendāx^ mōnstra ^monastra diū.
Callida^ adūlandī ^gēns, prūdentissima fraudis,
  fallere docta catōs, fallere docta rudēs.
Omnia blanditiīs mīrīs in pectora serpit[3],
  sincērē nullum dīligit[3] atque colit[3]. 390

70 **Hermogenem:** -ēs, is, *m.* ギリシアの弁論家。76 **garrulitātis:** -ās, ātis, *f.*「饒舌」77 **dēposuēre** = dēposuērunt. **cucullam,** cuculla, ae, *f.* 修道士の「上衣」80 **tīrō,** ōnis, *m.*「初心者」83 **nigrēdine:** nigrēdō, inis, *f.*「黒色」84 **picem:** pix, picis, *f.*「タール」85 **comitātur:** comitor, ārī「仲間となる」87 **callida:** callidus, a, um, *adj.*「精通している」**adūlandī:** adūlor, ārī「おべっかを使う」89 **blanditiīs:** -tia, ae, *f.*「お世辞」

者もいる。我れらが求める鳥は珍しいので、もし平静な心でこれらの者と飲まないですむのなら、飲まないですますように。修道院の杯は、毒のあるヒュドラの臭いがする。我が歌では、これ以上のことは密閉し隠蔽しておこう。［訳注・ヒュドラは、多頭の水ヘビで、ヘラクレスにより退治された。ヘラクレスは、この毒ヘビの血に自分の矢を浸け毒矢にしたが、この毒が最後には彼自身の死の原因になったとされる。］

彼らと同様に、どんな術を用いてでも、冒瀆者と偉大な神性の敵、下界の疫病から逃れるように。恐ろしい彼らは、キリストの体と三度崇められるべき血を、下卑た言葉の不敬によって傷つける。かつてこれ以上の冒瀆が生じたことがなく、地球上でかつてこれ以上の不敬が語られるのを聞いたこともない。かつていかなる疫病もこれ程に人間の害になったことがなく、地上でいかなる疫病もこれ程に害になるだろうこともない。冒瀆の指導者は、キリストが彼の王国を治めないように導くことで、いかに地を害したか。彼らは秘跡が空虚な体であると教えることで、どれだけの命を不幸にも闇の深淵に沈めたか。だから、もし君が自分の命を助けたいならば、これらの病根、これらの狂乱、松明、疫病から逃れるように。［訳注・秘跡は、神の恵みを実際にもたらす感覚的なしるしをさす。その中で、教皇派（カトリック教会）はパンとワインがミサのなかで実際にキリストの体と血に変わ

Et quis pēiōrēs nōbīs dabit[o] ardeliōnēs?
(Nōmine^quō sōlō mōnstra cavenda reor[2d].)
Hōc tamen haud omnēs voluī[o] perstringere versīs,
hōs etiam nīdōs dēseruēre[3] bonī.
Sunt quī Palladiō^ nūtrītī ^lacte sinūque 395
doctrīnā praestant[1], ingeniōque valent[2],
sed quia rāra avis est quem quaerimus[3], hīsce bibendō
sī poteris[o] aequā^mente carēre, carē[2].
Coenobiī redolent[2] vitiantem^ pōcula ^Lernam,
cētera cēlābō[1] carmine^ pressa ^meō. 400
Hīscum blasphēmōs et magnī^nūminis hostēs,
Tartareās^pēstēs, quā potes[o] arte, fuge[3],
quī* Christī corpus cum sanguine^ ter ^venerandō
spurcidicā^ laedunt[3] ^impietāte *trucēs.
Numquam surrexit[3] māior blasphēmia; numquam 405
auditum[4] est fandō māius in orbe scelus,
nulla^luēs adeō mortālibus obfuit[o] unquam,
nulla^ adeō terrīs est nocitūra ^luēs,
quantum sacrilegī^ terrīs nocuēre[2] ^magistrī,
quī, sua nē Christus rēgna gubernet[1], agunt[3]. 410
Quot miserās animās nigrō mersēre[3] barathrō,
dum sacrāmentum corpus ināne docent[2]?

91 **ardeliōnēs**: -ō, ōnis, *m*.「おせっかいな人」93 **perstringere**: -ngō, ngere, nxī, ctum「非難する」95 **Palladiō**: -us, a, um, *adj*. ミネルワ女神の。99 **coenobium**, ii, *n*.「修道院」**Lernam**: Lerna, ae, *f*. ヒュドラの棲み処。02 **Tartareās**: -us, a, um, *adj*.「下界の」04 **spurcidicā**: -us, a, um, *adj*.「下卑た言葉の」**trucēs**: trux, ucis, *adj*.「恐ろしい」08 **luēs**, is, *f*.「疫病」11 **barathrō**: barathrum, ī, *n*.「深淵」

るとしたが、新教ではそれを否定した。]

それで、どの教皇派とも酒を飲まず、修道士の上衣を着た人々の群れと酒を飲む時に、君はどうすべきかを尋ねるだろう。もし君がユダヤ人やトルコ人と杯を挙げるなら、教皇派と酒を飲むことを何が禁じよう。口だけ敬虔な無数の者たちの側よりは、公共心のある若干の教皇派の側でしばしば、より多くの友情、誠実、愛情、親切を我れは経験した。より多くの愛である。彼らは、人に豊かに接遇し、大きな酒壺だけから注がれる杯を気前よく満たす。もし彼らがよい酒で我れを満たすならば、教皇派の集団が何を信じようと、なぜそれが我が関心事であろうか。もし教皇派が飲みながら冒瀆的でなかったならば、なぜ我れは彼らと戯れの酒を楽しまないだろうか。

加えて、パルメノのように何事も隠さず、飲む人の放恣な言葉をやたらにしゃべり、愚かでおしゃべりで全く沈黙することができない者は、決して忠実な友人の側で飲ませてはならない。我れらとともに飲んで欲しいのは、ピタゴラス学派だろう。彼らは、アミュクラ人のように、聞いても聞いたことを無言で隠すのだ。[訳注・アミュクラは、古代ギリシアのラコニアの都市。住民は敵が攻めて来るという誤報が重なったためにこれを報じることが禁じられ、実際にスパルタ人が攻めて来た時にこれを知らせる者がなくスパルタに征服されたという。]

Ergŏ fuge[3i] hās vomicās, furiāsque, facēsque, luēsque,
cōnsultum vītae sī cupis[3i] esse tuae.
Quaeris[3] num tibi sint cum nullīs^ vīna ^Păpistīs, 415
cumque cuculligerō^ vīna bibenda ^grege?
Sī cum Iūdaeīs, cum Turcīs pōcula sorbēs[2],
quid cum Pāpistīs sūmere vīna vetat[1]?
Plūs ferē amīcitiae, candōris, plūs et amōris,
plūs reperī[4] officiī, plūs et amōris ego 420
saepe penês aliquem cīvīlī mente Păpistam,
quam penes innumerōs ōre subinde piōs.
Prōlixē tractant[1] hominēs, et largiter implent[2]
pōcula dē magnīs nōn nisi ducta cadīs.
Cūr mihi sit cūrae quid turba Păpistica crēdat[3], 425
dummodo mē vīnō repleat[2] illa bonō?
Sī nōn blasphēmī^ fuerint pōtandŏ ^Păpistae,
cum nōn cūr illīs vīna iocōsa colam[3]?
Īnsuper et fīdōs nūsquam bibat[3] inter amīcos,
rīmārum quī ceu Parmeno plēnus erit, 430
lībera pōtōrum quī dicta ēlīminat[1], et quī
fūtilis atque loquāx nīl reticēre potest[0].
Nōbīscum sorbēre volēns sit Pȳthagoraeus,
audiat[4], audītum mūtus^Amycla tegat[3].

13 **vomicās:** vomica, ae, *f.*「病根」16 **cuculligerō**, -us, a, um, *adj.*「修道士の上衣を着た」23 **prōlixē**, *adv.*「豊かに」**largiter**, *adv.*「気前よく」30 **rīmārum** plēnus est「何事も隠さない」rīma, ae, *f.*「裂け目」**Parmeno:** テレンティウス『宦官』の登場人物。31 **ēlīminat:** ēlīminō, āre「やたらにしゃべる」33 **Pȳthagoraeus**, a um, *adj.*「ピタゴラス学派の」34 **Amycla:** -ae, ārum, *fpl.* スパルタ近郊の町。

更に、他人の評判を寸断し、イヌのように不在者の名声にかじり付くことに熱心な者たちをこれに加えよう。君の澄んだ杯は、侮辱的な言葉を欠くように。君が飲む生の酒は、他人の汚点を含まないように。不純な心の最も確かな特徴と、曲がった精神の目印は、隣人の汚点と恥辱を喜んで持ち出し、その人の評判を汚れた口で転がし落としめることであると言われている。

君が闇の深淵の敷居から逃げるべきだと考えるのと同様に、声が心と同調せず、左手でパンを右手で石を持つ男たちも、君は避ける必要があると考える。我れは彼らを、おべっかの追従者で、同時に、裏表があり、二枚舌で、両義的なキツネであると考える。これに、空虚なうそを吐き出すおしゃべりも加えよう。彼らは、抑制のない饒舌ですべての人を殺す。他人の発言の部分も許されるべきであり、会話は交互に支えられなければならないだろう。

密告者、屁理屈屋や悪いへつらい屋は君とともに杯を空にしないことだろう。もし君が、少なくとも悪徳と罪業をもたらす他の醜い者を知っているならば、彼らにも注意するように。

我れは、どの仲間を君が模倣し、また避けるべきかを述べた。これらを心の記憶に留

Adde[3] quibus studiō est aliēnam carpere fāmam, 435
  nōmen et absentum rōdere mōre canis.
Candida probrōsā careant[2] tua pōcula linguā,
  quod^ bibis[3] alterius sit sine lābe ^merum.
Pectoris^impūrī certissimus ille character,
  et prāvae^mentis dīcitur[3] esse nota: 440
vīcīnī naevōs maculāsque referre libenter,
  eius et illōtō^ volvere in ^ōre decus.
Līmina quam nigrī cēnsēs[2] fugienda barathrī,
  tam tibi vītandōs hōs quoque rēre[2d] virōs,
quōrum vōx nōn est cum pectore cōnsona, quōrum 445
  laeva^manus pānem dextera fert[0] lapidem.
Assentātōrēs^blandōs, simul atque bilinguēs,
  vulpīnōs, duplicēs, ambiguōsque putō[I].
Adde[3] locūtōrēs mendācia vāna vomentēs,
  immodicā^ cunctōs ^garrulitāte necant[I]. 450
Est aliēnae etiam pars concēdenda loquellae,
  inque vicem sermō suscipiendus erit.
Nec quadruplātor siccābit[I] pōcula tēcum,
  nōn vitilīgātor, nōn sȳcophanta malus,
et sī quōs aliōs^ vitiīs minimēque ferendīs 455
  crīminibus ^turpēs nōveris[3] esse, cavē[2].

41 **naevōs**: -us, ī, *m*.「汚点」**maculās**: -a, ae, *f*.「恥辱」42 **illōtō**: -us, a, um, *adj*.「汚れた」43 **līmina**: līmen, inis, *n*.「敷居」44 **rēre**: reor, rērī, ratus「考える」命令法。47 **assentātōrēs**: -tor, ōris, *m*.「追従者」49 **locūtōrēs**: -tor, ōris, *m*.「おしゃべり」52 **in vicem**, *adv*.「交互に」53 **quadruplātor**, ōris, *m*.「密告者」54 **vitilīgātor**, ōris, *m*.「屁理屈屋」**sȳcophanta**, ae, *m*.「へつらい屋」

めるように。

まだ残っていることは、君がつながることを切望する人と、とても似た性格に君がなりたい、ということを君が学ぶことだ。その性格とは、整頓された生活、有徳性、公正性、誠実さ、才能、純朴さ、信頼、である。さらに、もし生の酒を称賛されて飲みたいなら、気高い謙虚さを示す性格も欲しい。もし君が、自分はすべての悪徳に満ちているのに、格別に有徳の仲間を求めたとしたら、それは恥じるべきことだ。

酒宴で飲む技法

このような教えに従い、それぞれの場所で必要とされることを行って、楽しい酒宴にしばしば参加するように。

信じて欲しいが、この場所は、顔が陰うつなカトーたちや、まゆ毛が陰険なクリウスたち、愚かな英知を嘆く厳しい教師たち、宗教が間違っている悲しいヌマたちを、必要としない。さらに、この場所は、怒っている人たち、葬式で悲しむ人たち、（目には見えない傷に関する心配であれ、暗黙のうちに隠している酷い悪であれ）不安または隠された悲嘆に苦しめられている人たちも受け入れない。この場所には、陽気で、親切で、

Quī^ tibi sectandī sint, vītandīque ^sodālēs,
  diximus; hōs memorī mente animōque tenē[2].
Quod superest° studeās[2], tibi quōs adiungere gestīs[4],
  hīs ut persimilis mōribus esse velīs°: 460
compositā vītā, virtūtibus, integritāte,
  candōre ingeniī, simplicitāte, fidē,
atque ōrnāmentīs aliīs probitātis^honestae,
  sī pōtāre cupis[3i] nōn sine laude merum.
Turpe foret, sī tū cuperēs[3i] virtūte sodālēs^ 465
  eximiōs, vitiīs^omnibus ipse scatēns.

Sīc itaque īnstrūctus* convīvia laeta frequentā[I],
  tōtus *agēns id quod postulat[I] ille^locus.
Postulat[I] ille locus tĕtricōs^ haud fronte ^Catōnēs,
  nec Curiōs torvō, crēde[3], superciliō, 470
nec stolidae sophiae querulōs rigidōsque magistrōs,
  nec fictā^ tristēs ^rēligiōne Numās.
Nōn fert° ringentēs; nōn fert° ā fūnere maestōs
  ille locus; nec quōs sollicitūdŏ premit[3]
aut dolor^occultus (seu caecō^vulnere cūra, 475
  sīve malum tacitā^ quod grave ^mente latet[2]).

59 **gestīs:** gestiō, īre, īvī, itum「切望する」66 **scatēns:** scateō, ēre, tuī「満ちている」69 **tētricōs:** -cus, a, um, *adj*.「陰うつな」**Catōnēs:** Catō, ōnis, *m*. 大カトーのような人々。70 **Curiōs:** Curius, ī, *m*. ローマの執政官。**torvō:** -us, a, um, *adj*.「陰険な」**superciliō:** -ium, ī, *n*.「まゆ毛」71 **querulōs**, -us, a, um, *adj*.「嘆いている」72 **Numās:** Numa, ae, *m*. ローマの2代目の王。上記3者はいずれも伝説的な高潔の士。73 **ringentēs:** ringor, ringī, rictus「怒る」74 **sollicitūdō**, inis, *f*.「不安」

楽しく、さらに喜ばしく、上品で、打ち解け易く、恐れから自由な心を持つ人々がいて欲しい。

故に、晴朗な顔で酒宴に近づくように。君の顔つきには一点の曇りがあってもならない。もし恐らく何かの心配から隠れた悲しみが君を悩ませるならば、すぐに最初の敷居に十字架を置くか、またはできるだけ早くバッコス神を飲んで心配を払うように。心配には生の酒より確実な薬は存在しない。心配を追い払い、抵抗する顔を伸ばすように。楽しい人々のなかで悲しい心は座りが悪い。節制の人々のなかで酔った人は座りが悪い。満杯の杯に酔っている人々のなかで節制の人は座りが悪い。君は他人の顔に自分の顔を模し、あの古い法が教えるように、君の不安な顔が楽しい酒宴を乱さないために、君の晴朗な顔から雲を取り払うように。

自身の言葉と行いを控え目にし、それを第一の法則とすることが、飲む君には相応しい。君は、親切で、打ち解け易く、柔和で、楽しく、魅力的で、従順さと性格の相応しさで気に入られるようにしなさい。我れは、君がへつらう人の任務を果たすことを命じようとしているのではなく（正直な集団は君にこの役割を求めていない）、何であれ、飲む人々が喜ぶことは君も喜ぼうとすることで、君が飲む人々の興味に仕えることを命

Vult[0] hilarēs, cōmēs, iūcundōs atque lubentēs,
urbānōs, facilēs, lībera corda metū.
Accēdās[3] igitur convīvia fronte^serēnā,
ostendēns vultū^ nūbila nulla ^tuō. 480
Sī quă latēns^maestum forsan tē cūră remordet[2],
prōtinus in prīmō^līmine pōne[3] crucem,
aut illam sūmptō quam prīmum pelle[3] Lyaeō:
certior est cūrīs nulla medēla merō.
Discussīs illīs renĭtentem exporrige[3] frontem, 485
nōn bene cum laetīs tristia corda sedent[2].
Nōn bene cum siccīs sedet[2] ēbrius, nec bene siccus
cum madidīs inter pōcula plēna sedet[2].
Ad vultūs^aliōs dēbēs[2] effingere vultum,
et facere, id quod lēx^ praecipit[3] illa ^vetus, 490
nē tua symposium laetum frōns^turbida turbet[1],
sed sit dēpulsā^nūbe serēna tibi.
Exhibeās[3] tēmet dictīs factīsque modestum,
haec tē^pōtantem rēgula prīma decet[2].
Sīs cōmis, facilis, placidus, iūcundus, amoenus, 495
obsequiō et mōrum commoditāte placēns.

77 **hilarēs**: hilaris, e, *adj*.「陽気な」**lubentēs**: lubēns = libēns, entis, *adj*.「喜ばしい」79 **serēnā**: -us, a, um, *adj*.「晴朗な」81 **remordet**: remordeō, dēre, dī, sum「悩ます」83 **quam prīmum**, *adv*.「できるだけ早く」85 **renītentem**: renītor, nītī, nīsus「抵抗する」**exporrige**: exporrigō, igere, ēxī, ēctum「伸ばす」93 **tēmet**: -met「自身の」強意接尾辞。95 **amoenus**, a, um, *adj*.「魅力的な」96 **obsequiō**: obsequium, ī, *n*.「従順」

じている。

酒宴で守るべき掟

君の他の興味や娯楽によって、それが嫌な人に不適切な質問に付き合うことを強いてはならない。従うのは君自身であり、仲間の集団に自分を委ねるように。そうすれば君は対抗する人々からの損害に注意できる。

もし君が酒宴で来客を悩ませたくなければ、たとえ自分の方が優れていても、誰であれ自分を上に置くように争ってはならない。テレンティウスの教養によれば、君のあのパンピルスは、ただそれだけで嫉妬なしに似合いの仲間と称賛を獲得する。もし権力に関する真面目な論争が起きたならば、君は心が頑なであることを求めないように。頑固な心を持つことは、莫大な暗愚だ。賢い人が善い人々にしぶしぶ譲るということは決してなかった。

さて、甘美な酒が供えられたら、会食者によって酒が片付けられてしまう真面目な話を持ち出さないように。心の賢明な人は、賢者たちの断食の家を尋ね、そこで節制して果てしなくしゃべり続けるべきだ。バッコス神は、ストア学派がみじめな学校で授ける

Nōn quod palpōnis iubeam[2] tē mūnus obīre,
(nōn petit[3] hanc^ ā tē candida turba ^vicem),
sed studiīs iubeō[2] tē subservīre bibentum,
ut quaecumque placent[2] hīs, placeantque[2] tibi. 500

Nōn aliud studium, nōn oblectātiŏ per tē
quaesīta invītōs cōgat[3] inīqua sequī.
Ipse sequēns illōs turbae^ tē dēde[3] ^sodāli,
sīc adversantīs damna cavēre potes[o].
Nullī tē, quamquam melior, praepōnere certēs[I], 505
sī nōn convīvīs vīs[o] odiō esse tuīs.
Sīc tuus* invidiā reperit[4] sine, culte Terentī,
et laudem et sociōs^ *Pamphilus ille ^parēs.
Sēria^ dē rēbus sī ^disceptātiŏ surgit[3],
ipse tuae^mentis nōn velĭs[o] esse tenāx. 510
Stultitia^ est ^ingēns praefrāctum^pectus habēre,
quī sapit[3i] haud^graviter cesserit[3] ille bonīs.
Tū tamen appositō^ iam vīnī ^nectare, nulla
sēria convīvīs discutienda refer[o].
Cui sapere est animus, quaerat[3] iēiūna sophōrum 515
tecta, ubi sit nimiō^ sōbrius ^ōre loquāx.
Bacchus nōn nimium quaerit[3] sapientia verba,

97 **palpōnis:** palpō, ōnis, *f.*「へつらう人」**mūnus**, eris, *n.*「任務」99 **subservīre:** -iō「仕える」00 **hīs** = bibentibus. 01 **oblectātiō**, ōnis, *f.*「娯楽」03 **dēde:** dēdō, didī, ditum「委ねる」08 **Pamphilus**, ī, *m.* テレンティウス『アンドロス島の娘』の登場人物。09 **disceptātiō**, ōnis, *f.*「論争」11 **praefrāctum:** -us, a, um, *adj.*「頑固な」14 **discutienda:** -tiō, tere, ssī, ssum「片付ける」17 **nōn nimium**, *adv.*「大してない」

ような賢明な言葉を大して求めていない。つねに優美さを忘れず、それぞれの場所には何が正確に相応しいかを知っていることは、骨折りがいがある。いつでも賢者が杯を交えて阿保らしく論争をする時には、なんとも可哀相で、我れは死んで消えたくなる。

酒宴には本を持ち込まないことに努めるように。飲むためにここにいる時に、真面目なものを読まないように。生の酒がある時に賢くあることは、無駄な自慢だ。もし賢いなら、その場所が求めることも賢く知るように。さもなくば、君は同時にすべての分別を失ったと我れは言おう。よい酒を知らない者は、つまらぬことだけを知っている。

君と杯を挙げる人を、傲慢な口吻で侮辱しないように。彼らを冗談で喜ばすように。その冗談は角が取れているように。もし君が上品でありたいなら、もし君が機知に富んでいると見られ、才覚を楽しみたいのなら、その才覚には苦みがないように。無害な機知を無害な言葉で持ち出すように。君のあざけりの才覚は、誰も標的としないように。君は、鋭い言葉を持ち出し古い友を失うことを選ぶのか。何が道化師より浅薄でありうるか。図々しい彼らは、すべての人に野卑な警句を投げつけ、さらに厚顔で無恥だ。それゆえに、道化の言葉を決して使わないように。多くの場合に、これで大切な友情が失われる。

quae trādit[3] miserīs Stōica secta scholīs.
Est operae pretium semper meminisse decōrī,
et nosse exactē quid loca^quaeque decet[2]. 520
Quandōcumque sophī stolidē inter pōcula certant[1],
tunc ego, mē miserum, morte perīsse velim[0].
Symposiīs nullōs studeās[2] īnferre libellōs,
hīc ubi pōtandum est, sēria nulla legās[3].
Est praesente^merō sapere ostentātiŏ^vāna, 525
sī sapis[3i], et locus^hīc quae^ cupit[3i], ^illa sape[3i];
aut tē omnem dīcam[3] semel āmīsisse sapōrem.
Prae nūgīs sapiunt[3i], cui bona vīna nihil.
Nullī ōs^ laede[3] ^procāx sorbentī pōcula tēcum.
dēlectāre[1] iocīs; sint sine dente iocī. 530
Sī cupis[3i] urbānus, sī vīs[0] fēstīvus haberī,
et gaudēs[2] salibus, sint sine felle salēs.
Innocuō^ innocuōs prōfer[0] ^sermōne lepōrēs;
fac[0] tua nōn ullum scommata salsa petant[3].
Argūtum dictum, veterem^ quam perdere ^amīcum 535
mālīs[0], quid scurrā vānius esse potest[0]?
Improba quī petulāns dictēria iactat[1] in omnēs,

19 **est operae pretium**「骨折りがいがある」22 **mē** 感嘆の対格。**perīsse:** pereō, īre, iī, itum「消えてゆく」25 **sapere** 主格の不定詞。28 **nūgīs:** nūgae, ārum, *fpl.*「つまらないこと」29 **procāx,** ācis, *adj.*「傲慢な」30 **dēlectāre:** dēlector, ārī「喜ばす」命令法。31 **fēstīvus,** a, um, *adj.*「機知に富んだ」32 **salibus:** sāl, salis, *m.*「才覚」**felle:** fel, fellis, *n.*「胆汁」33 **lepōrēs:** lepor, ōris, *m.*「機知」35 **argūtum:** -us, a, um, *adj.*「鋭い」36 **scurrā:** -a, ae, *m.*「道化師」37 **petulāns,** antis, *adj.*「図々しい」**dictēria:** dictērium, ī, *n.*「警句」

実際に、もし君が誰かを標的にすれば、彼は反対に君を標的にして、同じようにあざけりの冗談を言うだろう。そこから怒りが、そこから嫌悪が、そこから古い友達の喪失が生じる。友情は、ミダス王のすべての富よりも重んじられるべきものだ。

上品な言葉で遊ぼうとする人には、非常に多くの題材がある。（より多くの喜びを宿し、誰も傷つけないもののことだ。いくらかの人が笑ったとしても、あざけりの心に触れた人が悲しめば、何になるか。）機知に富んだ物語や、詩人たちの甘美な歌がある。これらを酒宴で暗誦すべしと思うように。君はここから才覚を取り込み、才覚があると思われることに努めるように。

思うに、そこでは誰も自分が傷つけられたと嘆くことはできない。トロイのヘレネのように、うつ病の薬ネペンテスを取り出して、酒に加えなさい。［中略］

酒宴で守るべき掟・続き

上品な言葉で機知に富む遊びをしたい人は、ギリシアの才覚に浸ることが相応しい。もし君のよく肥えたミネルワが才覚で塩漬けにされていなければ、君は飲むときに黙っている方がより多くの称賛を得ることができる。軽薄で饒舌な言葉より速く、阿保な頭

perfrictā^ nescit[4] ^fronte pudēre magis.
Proptereā numquam scurrīlibus^ ūtere[3d] ^dictīs,
saepius hīs magnus^ dissociātur[I] ^amor. 540
Nam sī forte petēs[3] aliquem, petet[3] ille vicissim,
tēque parī faciet[3i] scommate rīdiculum.
Hinc īra, hinc odium, hinc veterēs^ perduntur[3] ^amīcī,
rēs^ opibus^cunctīs ^anteferenda Midae.
Plūrima māteriēs urbānīs lūdere dictīs 545
quaerentī (quibus et grātia māior ĭnest[o],
et nihil offēnsae; quid enim quandō ūnus et alter
rīserit[2], et tactus scommate corde dolet[2]?).
Sunt lepidae historiae, sunt dulcia carmina vātum,
haec in symposiīs tum recitanda putā[I]. 550
Hinc tibi sūme[3] salēs, studeās[2] hinc salsus habēri.
Unde potest[o] laesum sē, putŏ[I], nēmŏ querī.
Adde[3] hinc dēprōmptum^, sīcut Lēdaea, Falernō
^nēpenthes, miserae pharmaca tristitiae. [...]

Quī volet[o] urbānīs fēstīvē lūdere dictīs, 825
Cecropiō^ decet[2] hunc permaduisse ^sale.
Hōc sī nōn fuerit tua crassa Minerva salīta,
māiōrī^ poteris[o] ^laude silēre bibēns;

38 **perfrictā:** -us, a, um, *adj*.「厚かましい」44 **anteferenda:** anteferō, ferre「よりも重んじる」**Midae:** Midās, ae, *m*. 触れたものが金になる伝説の王。49 **lepidae:** -us, a, um, *adj*.「機知に富んだ」53 **Lēdaea**, ae, *f*. トロイのヘレネ。54 **nēpenthes**, *n*. 酒に混ぜる消憂薬。**555-824** 難解なギリシア詩集の翻案で本書では省略。26 **Cecropiō:** -us, a, um, *adj*.「ギリシアの」**permaduisse:** -madeō, ēre, uī「浸る」

の錯乱を現わすものは他にない。多くの人は黙することで知恵の評価を得たが、それを自分の無駄話で失った。

これを避けるために、優雅の道理に住むように。君の口から語るに忌むべきものを現わさないように。多感な耳から、常に有害な恥ずべき言葉、傲慢で卑猥な言葉を避けるように。多感な年の若い従者が回りにいる。なぜ君は喜んで彼らのつまずき石でありたいのか。

君の筆者である我れは、喜んで賭け事をすることを望まない。賭け事は、多くの友情を駄目にする。醜い悪である怒りが忍び込む。それは、儲けの欲望によって、自分の父に勝らうることを我れが欲するように仕向ける。賭け事があるどこでも、投げられた不当な賽が鳴り響くときにはいつも、我が杯は楽しくない。古人には、賽は恥ずべきものと思われていた。我れにとっての賽は、司祭たちの無類の栄誉、関心、努力、競技場、趣味、そして夜昼となく絶えず開くことを学んだ宗教書だ。

嘲笑うコウノトリ［訳注・軽蔑のしぐさをする者］が行う憎むべき賭け事には、君は最初から技法を用いて注意する必要がある。そこで心は、乱れた嘲りをしばしば呼び立て、その多くは静かな酒に決して相応しくない。これにより慎重な人々がしばしば子供のよ

promptius haud aliō stolidae vēcordia mentis
 prōditur[3], ac linguae garrulitāte^levī. 830
Plūribus est sapientiae opīniŏ^parta[3] tacendō,
 hanc āmīsērunt fūtilitāte^suā.
Haec dum vītāris[I], habitā[I] ratiōne decōrī,
 nil foedum dictū prōdeat[4] ōre^tuō:
turpia verba, procāx, obscaenaque nōmina vītā[I], 835
 noxia quae tenerīs^auribus esse solent[2].
Circumstant[I] tenerā^ iuvenēs ^aetāte ministrī,
 hīs offendiculō cūr velĭs[0] esse libēns?
Auctor^ lūdendī nōlim[0] ^tuus esse libenter,
 dissolvit[3] multās lūdus amīcitiās. 840
Īra subit[0], dēfōrme malum, lucrīque cupīdō,
 haec facit[3i] ut cupiam[3i] vincere posse patrem.
Pōcula grāta mihī sunt nusquam ubi lūditur, atque
 semper ubī fallāx^tessera iacta strepit[3].
Ālea apud veterēs habita[2] est īnfāmis, apud nōs 845
 ūna sacerdōtum glōria, cūra, labor,
gymnasium, studium, librī, noctēsque diēsque
 volvere continuā^ quōs didicēre[3] ^manū.
Quem facit[3i] invīsum dērīsa cicōnia lūdum,
 hīc tibi cum prīmīs arte cavendus erit. 850
Excitat[I] hīc sannās^ praecordia saepe ^moventēs,
 plūraque^quae minimē vīna quiēta decent[2].

29 **vēcordia**, ae, *f.*「錯乱」32 **fūtilitāte**: -ās, ātis, *f.*「無駄話」38 **offendiculō**: -um, ī, *n.*「つまずき石」39 **lūdendī**: lūdō, ere「賭け事」44 **strepit**: strepō, ere, uī「鳴り響く」49 **cicōnia**, ae, *f.*「コウノトリ」51 **sannās**: sanna, ae, *f.*「嘲り」55 **cachinnī**: -us, ī, *m.*「哄笑」

うに間違いを犯し、赤面するような酷い自分を陳列することになる。誰であれ嘲笑と哄笑は甘受しないが、考えてみれば、嘲笑を除いて、この賭け事には何があるのだろうか。とはいえ、酒宴が適度を超えて長引き、相互の生の酒の番に関する口論が起こる時には、不要な酒の杯を避けるために、賭け事をするように。もし君が何の賞も持ち帰れなくても、賭け続けるように。取るに足らない私財の損失を被る方が、浪費の酒壺で君の体に負担をかけるよりはましだ。

君は嘲笑の題材から逃れ、誰も笑い草にせず、誰にでも恭しくあるように。いつでも飲む酒が仲間の邪魔でなければ、君は誰にも嫌われることが全くないだろう。阿保くさい仕草、悪臭［訳注・放屁］、見苦しい哄笑、げっぷ、猥褻なすべてのものを避けるように。君の仲間が酷い吐き気を起さないために、水っぽい唾や痰を吐く人とならないように。

もし誰かが歌に君を呼んで、君の歌で甘美な酒を晴れやかにするように頼んだら、歌手のように難しいことは言わないように。もし側に音楽的な集団がいて頼まれたら、喜んで歌うように。君には賭け事ではなく、バッコス神の次には音楽だけが酒宴での順番を得るべきだ。

Saepe gravēs peccant[1] illō puerīliter, et sē
turpiter ostendunt[3], quōs capit[3i] inde rubor.
Nōn quīvīs patiēns est rīsūs atque cachinnī, 855
hīc praeter rīsum quid, rogŏ[1], lūdus habet[2]?
Porrō ubi symposium trahitur[3] prōlixius aequō,
pugnaque ab alternō surgit[3] oborta merō,
lūde[3], supervacuī quō vītēs[1] pōcula vīnī,
et sī nulla ferēs[0] praemia, lūde[3] tamen: 860
praestat[1] iactūram modicī fēcisse pecūlī,
quam tua damnōsīs membra gravasse cadīs.
Māteriam rīsūs fugiēns, lūdibria nullum
fac faciās[3i], quemvīs sed reverenter habē[2].
Semper inoffēnsō^ sunt vīna bibenda ^sodāle, 865
nullī tū^ prōrsus sīc ^odiōsus eris.
Rīdiculōs^gestūs, paedōrēs atque cachinnōs
indecorēs, ructūs, cuncta pudenda fuge[3i].
Sūcidus haud estō spūtātor, sīve screātor,
nē fīās[0] sociīs nausea foeda tuīs. 870
Sī quis et ad cantum tē prōvocat[1], atque rogābit[1]
exhilarēs[1] cantū^ dulcia vīna ^tuō,
nē sīs difficilis cantōrum mōre, rogātus
sed cane[3], sī praestō mūsica turba, libēns.
Nec tibi sit potior lūdus, post mūsica Bacchum 875
sōla in symposiīs dēbet[2] habēre locum.

57 **prōlixius:** prōlixum, *adv.*「長く」61 **iactūram:** -a, ae, *f.*「損失」63 **lūdibria:** lūdibrium, ī, *n.*「笑い草」67 **paedōrēs:** paedor, ōris, *m.*「悪臭」68 **ructūs:** ructus, ūs, *m.*「げっぷ」69 **spūtātor**「唾を吐く人」**screātor**「痰を吐く人」73 **cantōrum:** cantor, ōris, *m.*「歌手」

音楽は、歌で悲しむ心を楽しします。音楽は、バッコス神と同等の力を持つ。讃えよ、音楽は、悲嘆にくれる人々、心で悲しむ憂鬱の人々を、神酒と調べで励まし、喜ばす。前者は熱気を満たし、後者は心臓を動かす。そして、調和の音響が、酒とともにすべての内臓に浸み込む。

賢い楽曲を口から吐露することを知る者は、甘美な調べにより、大きな称賛を自身に結び付ける。

例えば、偉大なホメロスの、竪琴を弾く詩人ペミウスは、感謝の心のない求婚者たちに上品な歌を歌い、高貴な亀甲琴の静かな技巧によって、オデュッセウスの手による残酷な運命からただ一人逃れた。パイアキアの地が驚嘆して敬愛し、彼の王の大きな栄光であったデモドクスもその例だ。長髪のヨパスは黄金の竪琴を奏し、カルタゴ人と放浪のトロイア人を慰めた。［訳注・ペミウスは、ホメロス『オデュッセイア』巻一および二三、デモドクスは、同『オデュッセイア』巻八、ヨパスは、ウェルギリウス『アイネアス』巻一、を夫々参照。］

称賛を求める君は、彼らの称賛を真似るべきだ。技法の巧者がアポロンの亀甲琴をかき鳴らすように。その次の者は、そう言われているように、中空の亀甲が支える甘美な調べの弦楽器に親指を走らせよう。古の愛を語る笛も必要だ。野生の葦の粗野な歌も鳴

Mūsica laetificat[1] maerentia pectora cantū,
    cum Bromiō compār mūsica* nūmen habet[2].
Nectare lūgentēs, euān, *haec carmine maestā^
    mente melancholicōs excitat[1] atque iuvat[1]; 880
ille calor replet[2], movet[2] *haec praecordia, et intrat[1]
    cum vīnō harmoniae viscera tōta sonus.
Ingentem dulcī^ iungit[3] sibi ^carmine laudem,
    fundere quī doctum^ nōvit[3] ab ōre ^melos.
Phēmius exemplō est magnī citharoedus Homērī, 885
    dum canit[3] ingrātīs carmina culta procīs,
sōlus hĭc effūgit[3] fātum^crūdēle, manūsque
    Dūlichiās, placidae nōbilis^ arte ^lyrae.
Et, quem dēmīrāns coluit[3] Phaeācia^tellūs,
    Dēmodocus, rēgis^ glōria magna ^suī. 890
Personat[1] aurātā citharā crīnītus Iōpās,
    dēmulcēns Tyriōs Aenĕadāsque vagōs.
Istōrum est tibi^ laus laudēs imitanda ^sequentī.
    Pulset[1] Apollineam doctus ab arte lyram;
alter dulcisonās percurrat[3] pollice chordās, 895
    quās cava^testūdō, sīc modo fertur[0], habet[2].

77 **maerentia:** maerēns, entis, *adj.*「悲しんでいる」78 **compār**, aris, *adj.*「同等な」79 **euān.** 歓喜の叫び。82 **viscera:** viscus, eris, *n.*「内臓」84 **melos**, ī, *n.*「楽曲」85 **citharoedus**, ī, *m.*「竪琴を弾く詩人」86 **procīs:** -us, ī, *m.*「求婚者」88 **Dūlichiās:** -us, a, um, *adj.* オデュッセウスの。89 **Phaeācia:** -us, a, um, *adj.* オデュッセウスが訪れた島。**tellūs**, ūris, *f.*「土地」90 **Dēmodocus**, ī, *m.* 盲目の吟遊詩人。91 **crīnītus**, a, um. *adj.*「長髪の」**Iōpās**, ae, *m.* カルタゴの詩人。92 **Tyriōs:** -ī, ōrum, *mpl.*「カルタゴ人」**Aenēadās:** -ae, ārum, *mpl.*「トロイア人」

らすように。
君は、恵み深いムーサが君に与えた、快楽のすべての慰みを快く提供するように。これが、短く言えば、我が教えの要点であり、詩人オウィディウスが彼の愛人に与えたものと同じだ。
「声があるならば歌え。腕がしなやかならば踊れ、もてるすべての天賦の才をもって喜ばせろ。」［訳注・オウィディウス『愛の技法』一・五九五］
とはいえ、すべての人が音楽を楽しんではいない時に、君は歌に終わりを告げることを知っていることも必要だ。君自身は、歌手がするように、渇きにあえぐ唇を永遠の咆哮で苦しめないように。眠り、踊り、歌い、番いには飽和があり、何事もただ倦怠に至るまで行うべきでない。

乾杯またはその防ぎ方

親切な乾杯者でありたい。君は、争いなく交替で乾杯者に杯を返すように。それが過分な時は、丁寧に、優雅な口吻で、断るように。賢い人は、それ以上君に迫ることはないだろう。

Fistula nec dēsit[o], veterēs quae dīcat[3] amōrēs,
 et rude* silvestris^ *carmen ^avēna sonet[1].
Cuncta venustātis dēlectāmenta libenter
 exhibeās[2], tibi quae Mūsa benīgna dedit[o]. 900
Haec praeceptōrum breviter sit summa meōrum,
 quam dat[o] amātōrī^ Nāso poēta ^suō:
"Sī vōx est, cantā[1]; sī mollia brachia, saltā[1]:
 Et quancumque potes[o] dōte placēre, placē[2]."
Ut tamen et fīnem nōrīs[3] impōnere cantū 905
 est opus, haud omnēs mūsica quandŏ iuvat[1].
Nē, sīcut faciunt[3i] cantōrēs, ipse boātū^
 perpetuō obtundās[3] ārida labra sitī.
Est satiēs somnī, chorĕae, cantūs, et amōris;
 taedia sunt nimiō nulla movenda modo. 910

Estŏ propīnātor^cōmis, sine līte vicissim
 ipse propīnantī pōcula redde[3] vicem.
Quod nimium est, blandō^ cīvīliter ^ōre recūsā[1];
 sī sapit[3i], urgēbit[2] tē magis ille nihil.

97 **fistula**, ae, *f*.「笛」98 **avēna**, ae, *f*.「葦、牧笛」99 **venustātis**: -ās, ātis, *f*.「快楽」**dēlectāmenta**: -um, ī, *n*.「慰み」05 **nōrīs** = nōverīs: nōscō, ere, nōvī, nōtum「知る」接続法完了、意味は現在。07 **boātū**: boātus, ūs, *m*.「咆哮」08 **obtundās**: obtundō, ere, udī, ūsum「苦しめる」**ārida**: -us, a, um, *adj*.「あえいでいる」09 **satiēs** = satietās, ātis, *f*.「飽和」**chorēae**: chorēa, ae, *f*.「踊り」10 **taedia**: taedium, ī, *n*.「倦怠」11 **propīnātor** < propīnō, āre, āvi, atum「乾杯する」15 **īnstiterit**: īnstō, āre, stitī「迫る」

もしそれでも彼が酒を迫ったら、次のように言うように。

「最良の友よ、君は、ホメロスの将たちが一体如何に酒を飲んだのかを知らないのか。彼らは、心が欲する量を飲んだ。誰でも自身の裁量で杯を挙げるべきだ。君がしたように、『私はこんなに沢山飲んだ。』とこれらの英雄たちの中で言った人を私は全く知らない。粗野な私は、大きな力のある英雄ではないが、私が英雄たちの行いに倣うことを、何が妨げるのか。」

しかし、君が与えられた酒を断って誰かを傷つけないために、乾杯を迫る人の杯は一度だけ飲むように。または、我が例で言えば、誰かがより不機嫌でありたいと思うよりは、我れが百の杯を飲み干す方がよい。我れは、怒った仲間の悪い呟きに耐えることができない。

「分かった。私の杯は君には不浄なのだ。私のを拒むのは、他の人の銘醸を退けないためか。なぜ私の杯は嫌いなのか、頼むから言ってくれ。」

このように彼らが声に出して我れを苦しめないように、数少ない意に反した杯を手から遠ざけはするが、いつもは飲み干す。不快を避けながら、我れはたびたび飲むが、これは酒を渇望しているからではなく、嫌われ者でないことを渇望するからだ。実際に、

Sī tamen īnstiterit[1] vīnō, dīc[3], “Optimus, nescis[4] 915
quīnam Maeonidae vīna bibēre[3] ducēs?
Pōtābant[1], animus quantum cūiusque volēbat[0].
Sorbeat[2] arbitriō pōcula quisque suō.
Numquam ego, quod fueris, nōvī[3], ex hērōibus istīs
dīcentem ‘contrā tālia, reddŏ[3] bibēns.’ 920
Magnīs^ ut nōn sim ^virtūtibus incultus hērōs,
sed tamen hērōum quid vetat[1] acta sequī?”
Nē tamen offendās[3] aliquem data vīna recūsāns,
urgentis potius pōcula sūme[2] semel,
vel nostrō exemplō, potius quī pōcula centum 925
hauriŏ[4], quam quisquam tristior esse velit[0].
Nōn possum īrātī^ mala murmura ferre ^sodālis,
“Ut videō[2], sordent[2] pōcula nostra tibi.
Mē^sprētō, alterius nē dēdīgnēre[id] Falernum;
cūr mea fāstīdīs[4] pōcula? Fāre[id], precor[id].” 930
Tālibus obtundat[3] nē vōcibus, hauriŏ semper,
invīta exclūdēns pōcula rāra manū.
Sīc ego vītātīs offēnsīs pōtŏ frequenter;
nōn ego quod sitiō[4], sed miser nē sitiam[4].

16 **Maeonidae:** -ēs, ae, *m.* ホメロスの詩的名称。23 **offendās:** offendō, endere, endī, ēnsum「傷つける」24 **urgentis:** urgeō, ēre, ursī「迫る」人の現在分詞。26 **hauriō**, rīre, si, stum「飲み干す」27 **ferre:** ferō「耐える」28 **sordent:** sordeō, ēre, uī「汚い」29 **sprētō:** spernō, ere, sprēvī, sprētum「拒む」絶対奪格。**dēdīgnēre:** dēdīgnor, ārī, ātus sum「退ける」接続法。30 **fāstīdīs:** fastīdiō, īre, iī, ītum「嫌う」**fāre:** for, fārī「言う」命令法。32 **exclūdēns:** exclūdō, ere「遠ざける」33 **vītātīs:** vītō, āre, āvī, ātum「避ける」完了分詞。

もし君が先生の行いを倣うべきであると思うならば、ここでは、また他の部分でも同様に、君は我が好敵手であることができる。

しかし少なくとも、君は嫌がる人を酒酌み器で更に厳しく苦しめ、疲れきった人に生の酒を強いたいと思うことがないように。君には、気品のある人生の抑制された節制が相応しい。君の命令で強いられた酒を飲む人が誰もいないように。望まない人に酒を強いることは、渇く人が清らかな水から追い払われるのと同等に重い罪だ。最も甘美な杯は、自発的に飲み干された酒であり、強いればそれは飲む人にも生の酒にも有害だ。友人は酒により結ばれ、酒により解かれる。強いられた酒は、例外なく誰にも好まれない。

節制のすすめ

十分なだけ飲むように。節度は、いつでも保たれなければならない。すべては、限られた節度の中に引き留められなければならない。引用するオウィディウスが愛人に教えたことを、君は心の記憶に貯えておくように。

「私は君に定められた飲みの程度を与えるだろう。心と足は、その職務を履行するように。」［訳注・オウィディウス『愛の技法』一・五八九］

Iam sī facta tuī cēnsēs[2] imitanda magistrī, 935
 hīs meus ut reliquīs aemulus esse potes°.
Tū tamen invītō cyathōs obtrūdere nōlī°
 dūrius, et fessum cōgere velle merō.
Tē decet[2] ingenuae contracta modestia vītae;
 nēmŏ tuō^iussū vīna coācta bibat[3]. 940
Aequē est grande^scelus nōlentem cōgere, quam sī
 pellitur[3] ā liquidā, cum sitibundus, aquā.
Sunt sponte exhaustī^ dulcissima pōcula ^pōtūs;
 cōgēns pōtōrī noxius atque merō est.
Vīnō iunguntur[3], vīnō solvuntur[3] amīcī; 945
 omnibus haud aequē vīna coācta placent[2].

Quod satis est pōtā[1], modus est retinendus ubīque;
 omnia fīnītō sunt cohibenda modō.
et, quod amātōrem docuit[2] modo Nāso citātus,
 illud idem memorī condere mente velīs°: 950
“Certa tibi ā nōbīs dabitur° mēnsūra bibendī:
 Officium praestent[1] mēnsque pedēsque suum.”

36 **aemulus**, ī, *m*.「好敵手」39 **ingenuae**: -us, a, um, *adj*.「気品のある」**contracta**: contrahō, here, xī, ctum「抑制する」40 **iussū**: ussus, ūs, *m*.「命令」41 **aequē**, *adv*.「同等に」**scelus**, eris, *n*.「罪」42 **liquidā**: -us, a, um, *adj*.「清らかな」**siti-bundus**, a, um, *adj*.「喉が渇く」43 **sponte**, *adv*.「自発的に」44 **pōtōrī**: pōtor, ōris. *m*.「飲む人」47 **modus**, ī, *m*.「節度」**retinendus**: retineō, inēre, inuī, entum「保つ」48 **cohibenda**: cohibeō, ēre, uī, itum「引き留める」50 **condere**: condō, ere, idī, itum「貯える」51 **mēnsūra**, ae, *f*.「程度」

我れは、罪を犯した者をすぐに死刑に処したくなる程には、厳格な規則で飲む君を縛らないだろう。ドラコンの残酷な律法がかつてそうだったようには、我れはどの規則も人の血で書かなかった。たまにある過失は許されるべきだが、毎日の酩酊は我れには悩ましい。

プラトンによれば、我れらは時には飲まなければならない。酩酊が悪徳でない場所がある。甘美なバッコス神よ、祭りの時には、また神の儀式では、より寛大に銘醸に耽ることが喜ばしい。神が我れらにかかる天界の贈り物を与えたので、かかる贈り物は神の祭壇に運ぶべきだ。

賓客がいる時には、より十分に酒を楽しみ、より自由に人生を享受することが許されるように。

トロイアの船隊がリビアに着いた時に、女王ディドーは王室の豪華さで酒宴を整え、自身が先ずユピテルに酒を捧げると、賓客に飲みの合図を与えた。間もなく、命じられたビティアスが弛まず、

「満杯の黄金で自らを洗うと」〔訳注・『アイネアス』一・七三九〕、

首領たちの集団が続いた。そして黄金の宮廷は、歓喜の喝采で鳴り響き、大広間には男

Pōtantem rigidā^ nōn sīc tē ^lēge tenēbō[2],
ut mox peccantem plēctere morte velim[o].
Hūmānō^ nullās cōnscrīpsī[3] ^sanguine lēgēs, 955
ferrea ceu quondam iūra Dracōnis erant.
Rārō contingēns noxa excūsābilis estō,
carpitur[3] ēbrietās quōtidiāna mihi.
Nōnnumquam est nōbīs auctōre Platōne bibendum,
est locus in quō nōn est vitiōsa^Methē. 960
Temporibus festīs iuvat[1] indulgēre Falernō
largius, inque tuīs, dulcis Iacche, sacrīs.
Tālia tū nōbīs caelestia dōna dedistī[o],
tālia sunt ārīs dōna ferenda tuīs.
Hospitibus liceat[2] vīnō praesentibus ūtī 965
fūsius, et vītā līberiōre fruī.
Rēgificō^luxū struxit[3] convīvia Dīdō,
tempore quō Libyam Trōica classis adit[o],
et dedit[o] hostipibus signum rēgīna bibendī,
vīnum lībasset[1] cum prius ipsa Iovī. 970
Mox iussus Bitiās "plēnō sē prōluit[3] aurō"
impiger, hunc procerum turba secūta[3] fuit.
Aurea deinde strepunt[3] laetō^ pâlātia ^plausū,
et mixtā^ resonant[1] ātria ^vōce virum.

54 **plēctere:** plēctō, ere「罰する」56 **ferrea:** -us, a, um, *adj.*「残酷な」56 **Dracōnis:** Dracō, ōnis, *m.* ギリシアの立法者。60 **Methē,** ēs, ae, ēn, ē, *f.*「酩酊」66 **fūsius:** fūsē, *adv.*「十分に」67 **rēgificō:** -us, a, um, *adj.*「王の」**Dīdō,** ūs, *f.* カルタゴの女王。70 **lībasset:** lībō, āre, āvī, ātum「捧げる」71 **Bitiās,** ae, *m.* カルタゴの貴族。**prōluit:** prōluō, uere, uī, ūtum「洗う」72 **procerum:** procer, is, *m.*「首領」73 **strepunt:** strepō, ere, uī「鳴り響く」**plausū:** plausus, ūs, *m.*「喝采」

たちの混ざった声が反響する。泡立つ酒皿の力はかくも大きく、生の酒で満杯の酒皿が頻りに輪を巡ったことは間違いない。一杯の杯からといわず、小さめの大杯からといわず、控え目とはいえない飲み方で、喝采と歓喜の叫びが起こる。君は、カルタゴ人とトロイアからの旅人たちが喝采したのを聞いたか。君は、その時トロイア人が海を思い出したと思うか。

アイアコスの孫アキレウスが自身の陣営に使節たちを迎えた時に、彼は酒がより強いことを望んだ点はどうだろう。

「彼は、食卓により大きな混酒器を、会食者にそれぞれの杯を据えるよう命じる。」〔訳注・『イリアス』九・二〇二〕

オデュッセウスは、宥めの始めを酒に定めた。彼は、これよりも良い開始を取りえなかった。（もしアキレウスがしっかりと飲んでいたならば、オデュッセウスは説得したところだったが、アキレウスにとっては十分な量の飲酒ではなかった。）

「広量で、すべての英雄のなかで最強のアキレウスよ、恙ないか。」

これはよい取り結びだったのだが、他の言葉が良くなかった。

「確かに、私たちに楽しい食卓の宴会は開催されなかったが、アガメムノンは彼の陣営

Tanta fuit paterae^ virtūs ^spūmantis; in orbem 975
　crēdibile est plēnam saepius īsse merō;
haustibus haud modicīs nec pōclō surgit[3] ab ūnō
　plausus, nec parvō iūbila laeta scyphō.
Plausisse audīstī[4] Tyriōs, Trōāque profectōs;
　Trōās^ tunc ^memorēs rēre[2d] fuisse maris? 980
Quid quod et Aeacidēs vīnum esse merācius optat[1],
　lēgātōs castrīs cum tenet[2] ille suīs:
māiōremque^ iubet[2] ^crātēra repōnere mēnsīs
　et convīvārum pōcula cuique sua.
Ā vīnō sumpsit[3] plācandī exōrdia Ulyssēs; 985
　haud melius potuit[0] sūmere prīncipium,
(et persuāsisset[2], bene sī pōtāsset[1] Achillēs;
　nōn fuit Aeacidae pōtiŏ^larga satis):
"Magnanime Aeacida, hērōum fortissime, salve."
　Haec bene subiunxit[3], cētera verba male: 990
"Haud equidem dapibus mēnsae^geniālis egēmus[2],
　accēpit[3] castrīs nōs Agamemnŏ suīs."

75 **paterae:** patera, ae, *f.*「酒皿」**spūmantis:** spūmō, āre, āvī, ātum「泡立つ」76 **īsse:** eō, īre. 78 **iūbila:** -um, ī, *n.*「叫び」**scyphō:** -us, ī, *m.*「大杯」80 **rēre** = rēris: reor, ērī, ratus「思う」81 **Aeacidēs**, ae, *m.* アイアコスの子孫。ここではアキレウス。**merācius:** merācus, a, um. *adj.*「混じりけのない」82 **lēgātōs:** -us, ī, *m.*「使節」83 **crātēra**, ae, *f.*「混酒器」85 **plācandī:** plācō, āre, āvī, ātum「宥める」**exōrdia:** -um, ī, *n.*「始め」**Ulyssēs**, is, *m.* オデュッセウス。91 **dapibus:** daps, dapis, *f.*「宴会」92 **Agamemnō**, onis, *m.* ギリシア軍の総帥。

で我れらを受け入れた。」

ギリシアの代弁者の果てしない愚鈍と、自身が如何に都合よくアキレウスと和解しようとしたかを見るように。彼は、アガメムノンの憎むべき名前を直ちに持ち出したが、その言及は早く行うべきではなかった。

もし彼がクインティリアヌスを軽く読んでいたならば、疑いなくこのような言葉で始まっただろう。

「最も偉大なアキレウスよ、私たちは君のところへ飲むために来た。私たちの旅の理由を君に知ってほしいのだ。」

その間に、杯により宥めの簡単な理由が作られ、生の酒により心が間もなく征服されただろう。無教養の能弁が、ギリシア人たちにこのように損害をもたらした。阿保どもよ、バッコス神はもっと長く愛されるべきだった。

仮に酒がとても豊かな流れのように流れていても、それが殆ど否定されない時と場所がある。そして飲む人たちの価値や才能が多くのことを弁護する。それゆえに、繰り返し有力者と共に杯を執るように。

とはいえ、飲んで相応しくないことを不用意に行わないように、常に礼儀を思い出す

Stultitiam Argīvī^, rogŏ[1], ^rhētŏris aspice[3] magnam,
  aptē Pēlīdem quam paret[1] ipse sibi.
Invīsum^ stâtim quod prōfert[0] ^nōmen Atrīdae, 995
  mentiŏ^ cūius erat nōn ^facienda citō.
Quī sī vel leviter lēgisset[3] Quīntiliānum,
  verbīs^ haud dubiē ^tālibus orsus[4d] erat:
"Maxime Pēlīdā, pōtātum vēnimus[4] ad tē,
  ut tibi sit nostrae cognita[3] causa viae." 1000
Intereā facilem plācandī pōcula causam
  fēcissent[3i], pectūs iam subigente merō.
Sīc Danaīs indocta fuit fācundia damnō;
  longius, ō stolidī, Bacchus amandus erat.
Est locus et tempus minimē damnantia vīnum, 1005
  flūmine quod forsan ūberiōre fluit[3].
Multa quoque excūsat[1] pretium virtūsque bibentum,
  quārē cum magnīs pōcula carpe[3] crĕbrō.
Sed tamen ipse studē[2] semper meminisse decōrī,
  nē, quod nōn deceat[2], pōtor ineptus agās[3]. 1010

93 **stultitiam:** -a. ae. *f.*「愚鈍」**Argīvī:** -us, a, um, *adj.*「ギリシアの」**rhētōris:** rhētor, ōris, *m.*「代弁者」94 **Pēlīdem:** -ēs, ae, *m.* ペレウスの子、アキレウス。**paret:** parō, āre, āvī, ātum「和解する」95 **Atrīdae:** ēs, ae, *m.* アトレウスの子、アガメムノン。97 **Quīntiliānum:** -us, ī, *m.* ローマの修辞学者。98 **orsus:** ordior, dīrī, sus「始まる」02 **subigente:** subigō, igere, ēgī, āctum「征服する」03 **fācundia,** ae, *f.*「能弁」05 **damnantia:** damnō, āre, āvī, ātum「拒否する」06 **ūberiōre:** ūber, is, *adj.*「豊かな」09 **decōrī:** -um, ī, *n.*「礼儀」

ように努めなさい。我れがこの急ぎの歌で述べた如く、飲みながら生きるように。生の酒を飲み干さないということは、純粋に失うことであり、それは罪だ。

ものには限度がある。また飲みにも確かな終点がある。君が賢ければ、知りながらそれを決して超えることがないように。大量の酒で理性が溺れ、埋まり、酒壺の中で難破させられて、波立つことがないように。酩酊しないか、または君が心配事から解放されるまで大量に飲むか、何れかだ。もし両者の中間にある時は、害がある。憂鬱な心を心配事から解放するというこの理由から、バッコス神はリベル［訳注・自由］とも呼ばれている。

我れが述べたことは、気の利いた仲間の間でも注意すべきだが、それは君が婚約者といる時に特に保持すべきだ。よく整っていない初心者の君が招かれて、婚礼の松明、楽しい祝祭へ行き、酒に負けて破廉恥に沢山の間違いを犯し、全員の失笑を買い、結局その後の人生でも取り去ることができない、良い人たちの軽蔑と嫌悪を被ることがないように。

ここでは、礼儀正しい理性、節制、羞恥を常により大きく持たなければならないだろう。また、既婚婦人と優美な処女たちの近くで、また齢と力で畏敬すべき会食者の近く

Vīve[3] bibēns, sīcut properātō^carmine dīxī[3],
nōn haurīre merum, perdere, culpa, merum est.
Sunt fīnēs rērum, certa est quoque mēta bibendī;
sī sapis[3i] hanc numquam trānsgrediêre sciēns,
nē ratiō^ multō ^submersa vel obruta vīnō 1015
flūctuet[I] in mediīs naufraga facta cadīs.
Aut nulla ēbrietās, aut tanta sit, ut tibi cūrās
ēripiat[3], sī quā est inter utrumque, nocet[2].
Hāc^ipsā Līber dē ^causā est dictus Iacchus,
maesta quod ā cūrīs lībera corda facit[3i]. 1020
Quae dīxī[3] lepidōs^ inter servanda ^sodālēs,
haec tibi cum spōnsā sunt retinenda magis,
nē quandō ad taedās, geniālia fēsta, iugālēs
nōn bene compositus tīrŏ vocātus eās[o]
et victus vīnō petulanter plūrima peccēs[I], 1025
et rīsus^ fīās[o] omnibus ipse ^levis,
et sīc contemptum incurrās[3] odiumque bonōrum,
quod tibi vix adimat[3] dēnique vīta sequēns.
Māior honestātis ratiō, atque modestia māior,
et pudor hīc māior semper habendus erit, 1030
estque verēcundō^ tibi castius ^ōre loquendum
propter mātrōnās virgineumque decus,

12 **merum** = merē, *adv*.「純粋に」13 **mēta**, ae, *f*.「終点」15 **obruta**: obruō, ere, ī, tum「埋める」16 **flūctuet**: flūctuō, āre, āvī, ātum「波立つ」**naufraga**: -us, a, um. *adj*.「難破させる」18 **ēripiat**: ēripiō, ipere, ipuī, eptum「開放する」19 **Līber**, erī, *m*. 古いイタリアの神。23 **taedās**: -a, ae, *f*.「松明」**fēsta**: -um, ī, *n*.「祝祭」27 **incurrās**: incurrō, rrere rrī, rsum「走りこむ」28 **adimat**: adimō, imere, ēmī, emptum「取り去る」31 **verēcundō**: -us, a, um, *adj*.「控え目の」32 **virgineum decus** = virginēs decōrās.

で、君は控え目な口吻でより貞潔に話す必要がある。彼らは、君の性格、態度、言葉を観察している。

故に、丁寧に食事をする人たちや飲む人たちに対しては、君は特に酩酊を避けなければならない。いかなる理由であれ酩酊は推奨されない。若者には節制の生活だけが相応しい。

次の巻は、我れが古典詩で書いた、酩酊の肖像と罪悪を示している。絶え間のない酩酊に浸る大酒飲みの君は、その容貌が最悪であろう酩酊を、あたかも鏡の中の如くに見るように。もし君が真の節制の賛辞を愛するならば、これから見る酩酊を人生のすべてで遠ざけ、避けるように。

我れは、始めた仕事の最初の部分を帆走し終えた。渇きを癒し、第二の順風の帆を張り、出帆しよう。

propter convīvās^ seniō et gravitāte ^verendōs,
qui mōrēs gestūs et tua verba notant[I].
Ergō cēnantī cīvīliter atque bibentī 1035
praecipuē ēbrietās est fugienda tibi.
Ēbrietās nullā^ nōbīs ^ratiōne probātur[I],
sōla iuventūtem sōbria vīta decet[2].
Proximus illīus mōnstrat[I] simulācra libellus
et vitia antīquō^carmine scripta mihi. 1040
Haec velut in speculō, faciēs turpissima quae sit
iūgī^ lurcō madēns ^ēbrietāte, vidē[2].
Quam vīsam fugiās[3] vītā^ aspernātus in ^omni,
sī laudem vērae^sōbrietātis amās[I].
Prīma mihī coeptī^ pars est dēcursa[3] ^labōris, 1045
restinctā^ faciam[3i] vēla secunda ^sitī.

33 **verendōs**: -us, a, um, *adj*.「畏敬すべき」39 **illīus** = ēbrietātis. **simulācra**: -um, ī, *n*.「肖像」41 **speculō**: -um, ī, *n*.「鏡」42 **iūgī**: iūgis, e, *adj*.「絶え間のない」43 **aspernātus**: aspernor, ārī, ātus「遠ざける」45 **coeptī**: coepiō, ere, ī, tum「始める」**dēcursa**: dēcurrō, rrere rrī, rsum「完了する、帆走する」46 **restinctā**: restinguō, guere, xī, ctum「消す」**vēla**: vēlum, ī, *n*.「帆」vēla facere「帆を張る、出帆する」**secunda**: -us, a, um, *adj*.「①第二の、②好都合の」

巻二

肖像と罪悪

LIBER SECUNDUS

バッコス神祈願

現れ給え、楽しいブドウの栽培者、父なるバッコス神よ。急ぎの手で我れらに銘醸を注ぎ給え。大きな酒碗が神酒の汁で漲るように。フランコニア公国の酒が絶えない流れとなって流れるように。天界の流れでブドウを支える丘たちを洗い流し給え。貴神の父［訳注・天界の支配者ゼウス］の職務を行うことを欲し給え。ドナウ川が走る水を海に運び去るとしても、バッコス神よ、神の豊かな豪雨で我れらを満たし給え。あたかも激しい真夏日が渇いた畑を焦がす時に、草木が夏の熱火で滅びるが如く、遅れた飲酒で我が乾いた喉が滅び、我が口が渇きにより飲み干す力を失うことのないように。

神が美しいガニメデスの職務を行うことが嫌にならないように。このことには、その前例がある。いかに頻繁にウルカヌスとヘベが神々と半神半人の男たちに神酒と神饌を供えたことか。神がウルカヌスより力があり、ヘベより美しく、もし我れがトロイアのガニメデスの代りに神を是認するならば、なぜ神は、我がウルカヌスとヘベとなり、ガニメデスのような手で酒を注ぐことを欲しないのか。

故に、バッコス神よ、もし我れが神の贈り物をより正しく楽しむことを最初に教えたならば、もし我れが、無学としても、詩により神の力を称え、熱心に喜んで神の祭礼を

Adsīs, Bacche pater geniālis^ cōnsitor ^ūvae,
et nōbīs properā^ funde[3] Falerna ^manū.
Grandia nectareō madeant[2] carchēsia sūcō;
Francica perpetuō∧flūmine vīna fluant[3].
Prōlue[3] vītiferōs caelestī∧flūmine collēs, 5
et dignāre tuī^ mūnus obīre ^patris.
Nōs largō tamen imbre∧tuō perfunde[3], Lyaee,
in pelagus rapidās auferat[o] Ister aquās.
Nē velut aestīvīs^ pereunt[o] ^fervōribus herbae,
cum vehemēns^ siccōs ^Sīrius ūrit[3] agrōs, 10
sīc mea tardātō^ pereant[o] ārentia ^pōtū
guttura, et exhaustīs∧vīribus ōra sitī.
Nec tē fōrmōsī^ mūnus ^Ganymēdis obisse
taedeat[2], exemplum rēs^ habet[2] ^ista suum.
Nectar et ambrosiam quotiēs Vulcānus et Hēbē 15
apposuēre[3] deīs sēmideīsque virīs?
Cum sīs Vulcānō potior, fōrmōsior Hēbē,
et tē prō Phrygiō^ sī ^Ganymēde probō[1],
cūr nōn esse velīs[o] nōbīs Vulcānus et Hēbē,
et Ganymēdaeā fundere vīna manū? 20
Sint igitur plēnī calicēs, pateraeque, cadīque,
sint plēnae trullae, plēna capēdŏ merō,

1 **cōnsitor**, ōris, *m*.「栽培者」3 **carchēsia**: -um, ī, *n*.「酒碗」6 **dignāre**: dignor, ārī, ātus「欲する」7 **imbre**: imber, bris, *m*.「豪雨」8 **Ister**, trī, *m*.「ドナウ川」9 **fervōribus**: fervor, ōris, *m*.「熱火」10 **vehemēns**, entis, *adj*.「激しい」**Sīrius**, ī, *m*.「真夏日」11 **ārentia**: ārēns, entis, *adj*.「乾いた」13 **Ganymēdis**: -ēs, is, *m*.ゼウスの酌人。15 **Vulcānus**, ī, *m*. 火と鍛冶の神。**Hēbē**, ēs, *f*. 神々の給仕。18 **Phrygio**: -us, a, um, *adj*. トロイアの。21 **calicēs**等の酒器は「韻律の覚え書」を参照。

崇めるならば、もし我れが永遠の賛辞によって、いつの時代にも消されないバッコスの名を明るい星まで運ぶならば、酒杯、酒皿、酒壺、柄杓、酒差しが生の酒で満たされ、酒皿が酒で膨らむように。

　胄神より優れた神が天界に加えられたことはなく、神は、富み、美しく、気品のある人々を作る。神は心を勇敢にし、不敵な者を抑える。

　ペンテウスと恐るべきリュクルゴスはこれを感じた。前者は、アコエテスを傷つけ、始まったバッコス神の夜祭を妨害したために。後者は、ニュサの山頂でバッコス神のニンフたちを残酷に驚かし、テティスが慄く神を助けた時に、神に逆らって彼の非道な力を存続させたために。

　野蛮なインド人も、カルパトスの水が海で育てた悪意のある水夫たちも、これを感じた。［訳注・これらの物語は、オウィディウス『変身物語』に基づく。］

　神は、絶望する者を希望で、無力な四肢を活力で持ち上げ、怠惰な者を勤勉さで動かす。バッコス神よ、神はいかに不細工な者も少女らに取り入らせ、いかに傷つけられた酷い傷も軽くする。

　バッコス神よ、神は子の葬儀に泣く母たちを神の露で活気づけ、その涙を生の酒で止

et phialae vīnō tumeant[2]; sī rectius ūtī
　prīmus egô docuī[2] mūnere^, Bacche, ^tuō,
sī, licet[2] indoctō, celebrō^ tua nūmina ^versū, 25
　sēdulus atque libēns sī tua sacra colō[3],
aevō sī nullō Bacchī dēlēbile^nōmen
　laudibus^aeternīs clāra per astra ferō[o].
Tē melior^ superīs nōn est ^deus additus[3], ipse
　dītēs, fōrmōsōs, ingenuōsque facis[3i]. 30
Tū facis[3i] audācēs animōs, domitāsque[1] ferōcēs.
　Hōc sēnsit[4] Pentheus, atque Lycurgus atrōx,
ille quod afflictō^ coepta orgia rūpit[3] ^Acoetē,
　huius tē^contrā vīs^ quod ^inīqua stetit[1],
quandǒ tuās saevus Nȳsaeō^ in ^vertice nymphās 35
　terruit[2], et trepidō^ fert[o] ^tibi Thêtis opem.
Hōc Indī^ sēnsēre[4] ^trucēs nautaeque^malīgnī,
　quōs modo Carpathius^ per mare ^gurges alit[3].
Spē dēspērantēs, marcentia membra vigōre
　ērigis[3], ignāvōs sēdulitāte movēs[2]. 40
Quamlibet īnfōrmem commendās[1], Bacche, puellīs,
　quamlibet afflictī vulnera dūra levās[1].
Rōre tuō reficis[3i] dēflentēs fūnera mātrēs
　nātōrum, et lacrimās sistis[3], Iacche, merō.

26 **sēdulus**, a, um, *adj*.「勤勉な」27 **dēlēbile**: -is, e, *adj*.「消される」30 **dītēs**: dīves, itis, *adj*.「富める」**ingenuōs**: -us, a, um, *adj*.「気品のある」31 **domitās**: domō, āre, uī, itum「抑える」32 **Pentheus**, ī, *m*. 神罰でバッコス信女に八つ裂きにされたテーベ王。**Lycurgus**, ī, *m*. バッコス迫害の神罰で盲目になった。39 **marcentia**: marceo, ēre「無力である」40 **ērigis**: ērigō, igere, ēxī, ēctum「持ち上げる」43 **rōre**: rōs, rōris, *m*.「露」

める。神は、貧困の重い負荷を運び得るものにし、粗末な家を素晴らしい館に変える。神は、技法を教え、満ちた酒壺から能弁な多くの言葉を、言葉を話さない者に提供する。神は、その贈り物により甘美な眠りを送り込み、神の液体は疲れた体を再生する。神は、三度願わしい青春の有り難い時間を引き延ばし、老人が老いていることを許さない。神は、長い人生の時間を移し変え、流れる日々をとどめることができる。神は、老人の集団をしばしば踊らせ、腰の曲がった老女が遊ぶことを強いる。

バッコス神よ、神は友情を結び、仲間を結び、神の熱気は冷えた心に火を点じる。ただ神のみが高いオリュンポスにいる神々を、ただ神のみが人間を晴れやかにできる。要するに、もし神が死んだ体をブドウの流れる汁で活気づけることができないならば、我れは無能だろう。

多くの事象の恩恵や、バッコス神の贈り物がその心を動かさない者は、鉄でできている。神の多くの力が我れを動かさないほど、我が心は固い鉄で硬直していない。

故に、親愛なる父よ、さあ大きな混酒器に酒を満たし、飲むべき我れに遅滞なく提供し給え。「早く与える者は、二度与える」という。大したことのない祈りで買い与えられたもののお返しに、二倍の大きな感謝があるべきだ。神は、神酒が飲み干され、混酒器

Paupertātis onus^grave tū portābile reddis[3], 45
　et facis[3i] ex humilī^ splendida tecta ^casā.
Artēs ipse docēs, īnfantī^ plūrima ^linguae
　suggeris[3] ē plēnīs verba diserta cadīs.
Ipse tuō^ dulcēs immittis[3] ^mūnere somnōs,
　ille tuus^ recreat[I] corpora fessa ^liquor. 50
Ipse ter optātae remorāris[Id] grāta iuventae
　tempora, dēcrepitōs^ nec sinis[3] esse ^senēs.
Tū potis es longae spatium trānscrībere vītae,
　currentēs potis es tū retinēre diēs.
Ipse facis[3i] turbam crēbrō saltāre senīlem, 55
　ipse etiam curvās lūdere cōgis[3] anūs.
Iungis[3] amīcitiās, iungis[3], Lēnaee, sodālēs,
　et tuus^ accendit[3] frīgida corda ^calor.
Ipse^ potes[o] dīvōs in magnō ^sōlus Olympō,
　sōlus et ipse hominēs exhilarāre potes[o]. 60
Dēnique vītifluō dēmortua corpora sūcō,
　nē valeam[2], sī nōn vīvificāre queās[o].
Ferreus est quem nōn tantārum commoda rērum,
　et quem nōn animō Bacchica dōna movent[2].
Haud sīc nostra stupent[2] rigidō praecordia ferrō, 65
　ut moveat[2] virtūs^ mē ^tua tanta nihil.
Quārē age[3], cāre parēns, magnō crātēre replētō
　suffice[3i] nōn lentē vīna bibenda mihi.

47 **īnfantī**: īnfāns, antis, *adj*.「無言の」48 **suggeris**: -rō, rere, ssī, stum「提供する」**diserta**: -us, a, um, *adj*.「能弁な」51 **remorāris**: -or, ārī「引き延ばす」52 **dēcrepitōs**: -us, a, um, *adj*.「年老いた」63 **commoda**: -um, ī, *n*.「恩恵」68 **suffice**: sufficiō, icere, ēcī, ectum「提供する」

が空であることを知る。花輪で飾られた酒壺の第二の酒を与え給え。それにより我れに、仕事の残りの部分を踏み越え、始めた巻をその意図のとおりに閉じる力があるように。

アペレスの絵画『酩酊の庭園』

初心者よ、飲むように。そして銘醸により我が言葉を記憶に保持しなさい。君は、頼むから、節制して耳を澄まし、如何に快楽の酩酊が不徳で醜いか、また如何に節制の生活が優美かを、よく知るように。

賢いギリシアがその著作で称揚した、いにしえの記念物であるアペレスの絵画の中には、天賦の手腕が残した卓越した絵画がある。それに比べれば、彼の描いた二つのウェヌス、一つは海の波の中から裸で現れるもの、他はコス人のためにまだ描き始めてもいなかったもの、の何れもが劣っている。我れは、その絵画を再現するが、その優秀さは我が歌を陵駕し、貴重な芸術は我が詩を打ち負かす。［訳注・アペレスの絵画は本件を含め何れも現存しない。ルネッサンス期になると古典文献に基づく絵画の復元が試みられた。本文の前者のウェヌスは、ボッティチェリ『ビーナスの誕生』への言及と見られる。］

緑の草が広く広がる平地があり、中心に木々が植えられた庭園がある。その花々に輝

Bis dat[o], quī citŏ dat[o]; bis grātia māior habenda est
    prō rē, nōn magnā^ quae datur[o] empta ^prece. 70
Cernis[3] ut exhaustō stet[I] crāter^inānis Iacchō,
    porge[3] corōnātī vīna secunda cadī,
quō valeam[2] partem^reliquam superāre labōris,
    atque suō^ coeptōs claudere ^fīne librōs.

Tīrŏ, bibe[3], et memorī mea dicta reconde[3] Falernō, 75
    sōbrius auriculās arrige[3], quaeso[3], tuās,
ut videās[2] quam sit turpis quam foeda voluptās
    ēbrietās, et quod sōbria vīta decus.
Inter Apellaeās monumenta vetusta tabellās,
    quās celebrat[I] scriptīs Graecia docta suīs, 80
eximiam tabulam manus ingeniōsa relīquit[3],
    utraque cui cēdit[3], quās dedit[o] ille, Venus,
altera quae nŭda aequoreīs ēmergit[3] ab undīs,
    altera quae Cōīs nōn nisi coepta[3] fuit.
Pictūram referam[o], superat[I] praestantia carmen, 85
    et vincit[3] versūs^ ars pretiōsa ^meōs.
Lātē diffūsus viridī stat[I] grāmine campus;
    arboribus mediō cōnsitus hortus inest[o],

70 **prece**: prex, precis, *f.*「祈り」72 **porge** porgō, ere「与える」76 **arrige**: arrigō, igere, ēxī, ēctum「上に向ける」79 **Apellaeās**, *adj.*: Apellēs, is, *m.* 前4世紀ギリシアの有名な画家。81 **eximiam**: -us, a, um, *adj.*「卓越した」82 **cēdit**: -ō, ere, cessī, cessum「劣る」84 **Cōīs**: Cōus, ī, *m.* コス人。Cōs, Cōī, *f.* はエーゲ海南東部にある一小島。85 **praestantia**, ae, *f.*「優秀さ」87 **grāmine**: grāmem, inis, *n.*「草」88 **cōnsitus**: cōnserō, erere, ēvī, itum「植える」

く庭園を、灌漑された土の耕地を通って巡らされた垣が守っている。ここには豊富な種類の春の花々があり、それらは優しい大地を至る所で愛らしく飾る。ここにはユリがあり、柔らかなマジョラムがある。紅のバラと共に白いイボタノキの類もある。紫のバラの園と共に暗いスミレもある。要するに、すべてが春の色に輝いている。

アラビアのパンカイアでも、これ程新しい乳香の香りを発散しない。シキリアの肥沃なヒュブラでも、これ程香しいバラで春めかない。これらに共通の装飾は、新春に花咲く野がそうであるように、平地と庭園を多彩にする。独特の耕し方のブドウ畑で、多産なブドウ弦の中の真新しいブドウの房が、庭園を飾る。

庭園の入口と出口

一つの大きな門が自由な入場を許し、右側に位置するその門が入る人々を取り込む。狭い敷居の出口は左側にあり、稀にしか踏みならされない小径が延びる。その小径は、イバラの藪と鋭いトゲに覆われ、恐ろしいキイチゴによって一言でいえば危険である。

優美な芝地と柔らかなバラたちを通って延びる、右の小径は頻繁に踏みならされている。ここでは、輝く庭園に向かって、大勢の人々が群がり集まり、若者や年老いた老人

quem circumductā^ vallāvit[1] ^saepe nitentem
　flōribus irriguī culta per arva solī. 90
Multimoda est illīc vērnōrum cōpia flōrum,
　passim quae facilem^ pingit[3] amanter ^humum.
Līlia sunt illīc, est mollis amāracus illīc,
　et cum sanguineīs alba ligustra rosīs,
et cum purpureīs violāria fusca rosētīs. 95
　Quid multīs? vērnō^ cuncta ^colōre nitent[2].
Nōn sīc tūre^novō spīrat[1] Panchāia, nōn sīc
　vērnat[1] odōriferīs fertilis Hybla rosīs.
Hīs commūnis honōs campum variābat[1] et hortum,
　vēre^novō sīcut flōrida rūra solent[2]. 100
Hortum praecipuō^ decorābat[1] vīnea ^cultū,
　atque in fēcundīs^vītibus ūva^recēns.
Ūna^ dat[o] ingressum sed ^iānua magna patentem,
　intrantēs dextrā^ quae sita ^parte capit[3i].
Exitus angustō^ stat[1] ^līmine parte^sinistrā, 105
　quā tendit[3] rārō^ sēmita* trīta ^pede,
sentibus et dūmīs et acūtīs *obruta spīnīs,
　prōrsus et horrificīs aspera *facta rubīs.
Dextera^ quod tendit[3] per amoena virēta rosāsque
　molliculās, plantīs est ^via trīta[3] crĕbrīs. 110

89 **vallāvit:** vallō, āre, āvī, ātum「守る」**saepe:** saepēs, is. *f*.「垣」93 **amāracus,** ī, *c*.「マジョラム」94 **ligustra:** -um, ī, *n*. 垣などのイボタノキの類。95 **fusca:** -us, a, um, *adj*.「暗い」97 **tūre:** tūs, tūris, *n*.「乳香」98 **vērnat:** -ō, āre「春めく」04 **sita:** sinō, ere「置く」06 **trīta:** terō, ere「すり減らす」07 **sentibus:** sentis, is, *m*.「イバラ」**dūmīs:** dūmus, ī, *m*.「藪」08 **rubīs:** rubus, ī, *m*.「キイチゴ」09 **virēta:** um, ī, *n*.「芝地」10 **plantīs:** planta, ae, *f*.「足の裏」

たちが走っている。

戸の前には、白い帆布の天幕、葉の多い座席、草の寝台がある。その寝台には、整然と机が据えられ、来客の集団が横になって楽しい宴会を繰り広げている。頭にバラの花輪を飾った会食者たちが、陽気な顔で生の酒の杯を挙げている。

座席には、適齢のニンフたちを加えただろう。我れの見たところでは、彼女たちは、酒壺から酒を取り出し、酒酌み器で横たわる人々の集団に運び、様々な形で人々を晴れやかにする。

彼女たちの中の最初の者は、顔も衣服も控え目なソプロシュネ（節制）で、この場所の唯一の座長だ。彼女は、肘掛け椅子に収まって、来客に挨拶する。

次は、エウプロシュネ（喜び）で、来客を座席に据える。美しい頬を輝かす彼女は、晴明な顔で称賛と喜びを与える。

最後は、接客係のカリテス（優雅の三美神）で、柔らかな草原の中で会食者を喜ばす。彼女たちは、手に黄金の容器を持ち、人々を酒へと丁寧に招いているように見える。

また見えるのは、飲む人々の楽しい肖像で、寝台に沿って色々なことに興じている。ある者は緑の競技場で相撲を取り、ある者は円盤を投げ、更にある者は足で地を叩き踊っ

Maximus hāc populī est nitidum concursus[3] ad hortum,
quam currunt[3] iuvenēs dēcrepitīque^senēs.
Ante forēs niveīs stābant[1] tentōria vēlīs,
frondōsae^sēdēs, grāmineīque torī.
In quibus appositīs geniālibus ōrdine mēnsīs 115
discumbēns epulīs advena^turba vacat[1].
Convīvae^ roseīs ^redimītī tempora sertīs
sūmēbant[3] hilarā^ pōcula ^fronte merī.
Sēdibus addiderat[3] nymphās^ aetāte ^decentēs,
quae mihi sunt vīsae[2] prōmere vīna cadīs, 120
et discumbentī cyathīs appōnere turbae,
et populum variīs exhilarāre modīs.
Hārum prīma fuit vultū^ cultūque ^modestō
Sōphrosynē praeses^ illĭus ^ūna locī.
Haec adventantēs soliō composta salūtat[1]; 125
altera per sēdēs collocat[1] Euphrosynē,
Euphrosynē fōrmōsa genās et fronte^serēnā,
collūcēns^ plausūs laetitiaeque ^datrix.
Et reliquae^Charitēs per mollia prāta ministrae
convīvās multā dexteritāte tenent[2]. 130
Cōmiter et populum vīnō invītāre videntur[2],
palmīs portantēs aurea vāsa suīs.
Cernitur[3] et populī iūcunda^ bibentis ^imāgō
per spondās variīs exhilarāta modīs,

14 **frondōsae**, -us, a, um, *adj*.「葉の多い」17 **redimītī**: redimiō, īre, iī, ītum「飾る」24 **sōphrosynē**, ēs, *f*.「節制」**praeses**, idis, *c*.「座長」25 **soliō**: solium, ī, *n*.「肘掛け椅子」26 **euphrosynē**, ēs, *f*.「喜び」28 **collūcēns**: collūceō, ēre「光り輝く」29 **Charitēs**, um, *fpl*.「優雅の三美神」

ている。更に、彼ら同士で言葉を交わす人たちがいたり、声を合わせて歌を歌う人たちがいたりするのが見える。

更に楽器までが用意され横たわっている。脛骨の笛と竪琴、牧者の笛、義甲と亀甲琴などだ。要するに、享楽、競技、安逸、歌、愛などが、愉快な隊列をなして控えている。ここには実直な豪奢さに輝くあらゆる優雅さがあり、それを避ける必要のない偉大な将たちに相応しい。

高貴なバッコス神の贈り物によって心を広げ、祝宴で食べ終わると、愉快な顔で喜びを示し、座長のソプロシュネに挨拶をしてから、準備の整った一部の人々は家に帰る。

まだ続く酩酊の酒宴

生の酒にまだ満足していない一部の人々は、庭園に向かう。彼らの多くは、座長のソプロシュネ（節制）を軽蔑している。その庭園の入口には、赤い頬で皮膚の膨れた、クラプラ（泥酔）という女が立っている。彼女は、広く開いた入口を親切に見せながら、隊列を頭と両手で自分の方に呼んでいる。

君が庭園全体の多様な外観を理解するように、次の簡潔な詩を手短に捕まえなさい。

cūius pars certant[1] luctā in viridante palaestrā, 135
pars lūdunt[3] discō, pars pede pulsat[1] humum.
Sunt quī sermōnem inter sē cōnferre videntur[2],
et sunt quī iunctā^ carmina ^vōce canunt[3].
Mūsica quin etiam praestō īnstrūmenta iacēbant[2],
tībia cum citharā, fistula, plēctra, lyrae. 140
Quid multīs? istic habitārunt[1] agmine^laetō
dēliciae, lūsūs, ōtia, cantus, amor.
Plūrima munditiēs^ frūgālī ^splendida lūxū,
quae deceat[2] magnōs^ nōn fugienda ^ducēs.
Diffūsīs animīs generōsī mūnere Bacchī 145
et sumptīs epulīs pars abivēre[0] domum
compositī, et laetō^ tēstantēs gaudia ^vultū
atque salūtātā praeside Sophrosynē.

Pars^ nōndum ^contenta merō tendēbat[3] in hortū,
multum dēspectā^ praeside ^Sophrosynē. 150
Cūius in introitū rubeīs stat[1] fēmina buccīs
atque sagīnātā^ Crāpula dicta ^cute.
Haec capite et geminīs ad sē vocat[1] agmina palmīs
ostendēns patulās^ officiōsa ^forēs.
Atque ut tōtīus^ faciēs tibi discolor ^hortī 155

35 **luctā**: -a, ae, *f*.「相撲」40 **tībia**, ae, *f*. 脛骨の笛。**lyrae**: -a, ae, *f*.「亀甲琴」41 **habitārunt** = habitāvērunt. 42 **dēliciae**, ārum, *fpl*.「享楽」43 **munditiēs**, ēī, *f*.「優雅」47 **tēstantēs**: testor, ārī,「示す」51 **introitū**: introitus, ūs, *m*.「入口」52 **sagīnātā**: sagīnō, āre「肥やす」**cute**: cutis, is, *f*.「皮膚」52 **crāpula**, ae, *f*.「酩酊」54 **patulās**: -us, a, um. *adj*.「広く開いた」55 **discolor**, ōris, *adj*.「多様な」

王室の服装を着た酔った女が中心で主宰し、女性の従者に囲まれている。整った頭髪をブドウの蔓葉の花冠で飾り、あたかもこれから飲むかのように酒皿を手に持っている。彼女の隣には、酒皿と酒杯を持った女中たちが入ってくる集団に飲むべき酒を運ぶ。

その中で最初に我れに見えるのは、デメンティア（乱心）と呼ばれる女である。次は、装いと顔つきからルクスリア（放逸）であり、第三は、レテの川から生まれたオブリヴィオ（忘却）である。［訳注・レテは、黄泉の国にある忘却の川で、その水を飲むと過去を忘れるという。］

第四は、麻痺しているように地面に座る、ラングオル（無気力）の娘、ピグリテス（怠惰）と我れには見える。彼女は、半分眠るように滴る酒酌み器を持っている。第五は、彼女の後ろの側の場所にいるパロエニアで、喧嘩を起こすリクサ（喧嘩）の仲間だ。錯乱したインサニア（狂気）が、ラビエス（憤怒）とその親しい兄弟フロル（激情）と共に、最後の席を占めている。

彼女たちを取り囲んでいるのは、クマ、子ウシ、モロシア犬、極めて多数の長い耳をしたアルカディア馬、鳴くヒツジ、オナガザルと一緒にいるヤギ、更にオオカミ、ウシ、剛毛のブタで、女の手から酒を飲んだ後に、人間の容姿から奇怪な野獣に変えられた者

nōta[3] sit, haec paucīs carmina pauca cape[3i].
Praesidet[2] in mediō rēgālī^ fēmina ^cultū
ēbria fēmineō cincta satellitiō,
pampineīs sertīs comptōs ornāta capillōs
et manibus phialam ceu bibitūra tenēns. 160
Hanc iuxtā famulae^ paterās calicēsque ^gerentēs,
intrantī^turbae vīna bibenda ferunt[o].
Quārum prīma mihī vīsa[2] est Dēmentia dīcī;
ex habitū et vultū, proxima Lūxuria.
Tertia Lēthaeīs Oblīviō^nāta sub undīs. 165
Attonitae similis, quarta sedēbat[2] humī,
quae mihi Pigritiēs Languōris fīlia vīsa[2] est,
stillantem^cyathum sēmisōpīta tenēns.
Quinta furōriferae sociāta Paroenia Rixae
vīcīnā^ post hanc in ^statiōne stetit[I]. 170
Postrēmam^ tenuit[2] vēcors īnsānia ^sēdem,
cum Rabiē et iunctō frātre Furōre sibi.
Hās circumsistunt[3] ursī, vitulī, atque Molossī,
plūrimus et longīs auribus Arcas equus,
bālantēs et ovēs, hircī cum cercopithēcīs, 175
atque lupī atque bovēs, saetigerīque suēs,
ex hominum faciē mūtātī in mōnstra ferārum,

65 **Lēthaeīs:** -us, a, um, *adj.*「レテの」66 **attonitae:** attonō, āre, uī, itum「麻痺させる」68 **stillantem:** stillō, āre「滴る」**sēmisōpīta:** -us, a, um, adj.「半眠の」71 **vēcors,** dis, *adj.*「錯乱した」**Molossī:** -us, ī, *m.*「モロシア犬」73 **vitulī:** -us, ī, *m.*「子ウシ」74 **Arcas,** adis, *adj.*「アルカディアの」75 **bālantēs,** balō, āre「牛・羊が鳴く」75 **cercopithēcīs:** -us, ī, *m.*「オナガザル」76 **saetigerī:** -er, era, erum, adj.「剛毛の」

たちだ。彼らは人間として人間の顔をして入り、長い間そのように人間の顔をしているが、飲み物を味わうと、野獣の姿に変えられ、誰もその元々の形を保たない。

彼らは、あたかもキルケの液汁の入った杯を飲み干したかのように、直ちに新しい形で飛び出してくる。我れはこれらのことを観察して、最初は中央にいる女王はキルケと思ったが、そうではなかった。彼女は、ギリシア文字で「すべての酒飲みの女王、メテ（略酊）」と記されていて、エブリエタス（略酊）だった。［訳注・キルケは、ホメロス『オデュッセイア』に出てくる魔女。魔法の酒を飲ませてオデュッセウスの部下たちをブタに変える。］

何という多種多様な野獣の酷い混乱か。如何なる内面の生活の姿か。全員が混じって一つになり、広く開いた口から不協音で叫んでいるように見える。

しかし、他のところでは、ヒツジが、未熟の酒飲みの証拠として、喉から酒を吐いている。その内、その吐き出した同じものをイヌが無益に再び啜り込む。その時ブタは、汚物の中で背中を転がし、恐るべきヘビと緑のトカゲを吐く。

もし我れが歌で君をからかうなら、我れは破滅するだろう。

君は、雌ウシや子ウシがカエルやセミを、雄ヤギが八面体の宝石を吐くのを見ただろう。それから、ロバが本を、クマが剣と棍棒を、オオカミがネズミとネコを吐き出した。

post quam fēmineā^ vīna bibêre[3] ^manū.
Intrābant[1] hominēs hūmānā^fronte, manēbant[2]
tālēs hūmānā dēnique fronte diū, 180
gustātō pōtū in fōrmās abiēre° ferīnās,
prīstina^ nec cuiquam mānsit[2] ^imāgŏ sua.
Tamquam Circaeīs haurīrent[4] pōcula succīs,
sīc subitō fōrmīs ēmicuēre[1] novīs.
Prīmum cēnsēbam[2] cernendō tālia Circēn, 185
rēgīnam in mediō stāre, nec illa fuit.
sed fuit Ēbrietās^ Grāīs ^signāta figūrīs:
πάντων οἰνοπότων ἡ βασίλισσα, Μέθη.
At quae multiplicum cōnfūsiŏ^foeda ferārum.
Quae vītae^ faciēs ^interiōris erat? 190
Nam mixtim patulīs^ vīsae[2] sunt ^rictibus ūnā
omnēs discordī^ vōciferāre ^sonō.
Ex aliā^ sed ^parte vomunt[3] dē gutture vīnum
vīnōsae^ indicium ^simplicitātis ovēs.
Quae ēgessēre[3], canēs eadem mox frūstă
resorbent[2], 195
in caenō volvunt[3] dum sua terga suēs,
serpentēsque vomunt[3] dīrōs, viridēsque^lacertās.
Dispeream[4], sī tē carmine lūdŏ[3] meō!
Vaccās et vitulōs, rānās vomere atque cicādās

83 **Circaeīs:** -us, a, um, *adj.*「キルケの」 84 **ēmicuēre:** ēmicō, āre, uī, ātum「飛び出る」 91 **mixtim,** *adv.*「混じって」 **rictibus,** rictus, ūs, *m.*「口の開き」 92 **vōciferāre:** -ō, āre「叫ぶ」 95 **ēgessēre:** ēgerō, rere, ssī, stum「吐き出す」 96 **caenō:** -um, ī, *n.*「汚物」 97 **lacertās:** -a, ae, *f.*「トカゲ」 98 **dispeream:** dispereō, īre, iī「破滅する」

恥ずべきオナガザルは飛び回り、彼らの多くは花の花冠を付けている。遠くないところで、クマたちがお互いを歯で引き裂き、オオカミたちが多くの不和から猛り狂う。彼らをフロル（激情）とラビエス（憤怒）は、あたかも残酷な戦争を行う一対の戦列のように、お互いの加害へと駆り立てる。

しかし、庭園の出口と普通の戸を通ってあまり踏まれていない小径が見える。その左側には、様々な動物たちの酷い体肢が、汚物と嘔吐の中に横たわっている。その体肢は、一部は怪我で、一部は酒により傷つき、混乱した麻痺の中で打ちのめされ、あたかも死んだ屠殺物の集団のようだ。

その中の一部は、睡眠を追い払って力なく起き上がり、速い足取りで以前の放蕩へ帰還する。

野獣の毛に覆われてはいるが人間の顔を得た一部の者は、しらふになって狭い戸を探す。足取りが覚束ず、歩みも不確かで、四肢が不自由な集団は、庭園から出て行く。その出て行く半獣の集団の外見は、半人半馬の山男たち［訳注・ケンタウロス］が現われたようであった。

外に出ると、輪縄と鎖を持った老婆たちが出迎え、頭と手を拘束する。彼女たちは、

vīdissēs[2], gemmās^octipedēsque caprōs. 200
Porrō asinī librōs, ēnsēs cum fūstibus ursī,
mūrēs et cattōs ēvomuēre[3] lupī.
Indecorēs^ saltūs exercent[2] ^cercopithēcī,
quōrum pars māior flōrea serta gerunt[3].
Nec procul alternīs laniant[1] sē dentibus ursī, 205
et furiunt[3] multā^sēditiōne lupī.
Quōs Furor et Rabiēs in mūtua vulnera trūdunt[3],
ceu geminās aciēs, quae fera bella gerunt[3].
Parte^ sed in ^laevā, quā cernitur[3] exitus hortī
et via per modicās^ nōn bene trīta ^forēs, 210
in caenō in vomitū mixtōrum foeda animantum
corpora cōnfūsō^ strāta ^sopōre iacent[2],
partim vulneribus, partim quoque saucia vīnō,
tamquam caesōrum mortua turba foret.
Quōrum pars^ surgit[3] discussō ^languida somnō 215
et repetit[3] celerī^ lustra priōra ^pede.
Pars^nacta hūmānam faciem, sed pelle ferīnae
tēcta, petit[3] tenuēs sōbria facta forēs.
Hortōque ēgreditur[3d] pedibus male firma, gradūque
incertō, membrīs mûtila turba suīs. 220
Quālem monticolae^ speciem gessēre[3] ^bimembrēs,
tālis sēmiferae turbae abeuntis erat.

00 **octipedēs:** -pēs, pedis, *adj.*「8本足の」05 **laniant:** laniō, āre「引き裂く」06 **sēditiōne:** sēditiō, ōnis, *f.*「不和」07 **trūdunt:** trūdō, dere, sī, sum「駆り立てる」10 **modicās:** -us, a um, *adj.*「普通の」12 **strāta:** sternō, ere, strāvī, strātum「打ちのめす」**sopōre:** sopor, ōris, *m.*「麻痺」13 **saucia:** -us, a, um, *adj.*「傷ついた」16 **lustra:** -um, ī, *n.*「放蕩」

簡単に捕らえた者は硬い鞭で矯正し、逆らう者は絶えず棍棒で調教する。
　多数いる老婆の中で、最初の者以上に残忍な者は誰もいない。彼女は、関節が弱く、顔は一部が蒼白で、一部は火のように赤い。もし我れがすべてを間違えていなければ、彼女はフェブリス（熱病）だ。
　四肢の腫れたヒュドロプス（水腫）は多くの者に荒れ狂う。彼女は、硫黄色をした老婆で、よく肥えている。
　疥癬の体をしたプソラ（疥癬）は、更に少なくない者に、こちらの者は蹴り飛ばし、あちらの者は髪を捕まえて、非道に激高する。
　しかし、他の者にも増して、数百のボロに覆われた老婆は、すべての力で裸の体を鞭で苦しめる。絵を見る者には、彼女は汚いパウペルタス（貧困）と見える。彼女は、乞食の姿のように汚れ、空腹で痩せている。
　レツム（死亡）とともに帆走の戦車に乗るセネクツス（老年）は、若者も老人も車軸で踏みにじる。我れにはその名前が認識できなかった更に多くの他の者が、酷いくびきの下に囚人を引き回す。
　このようなものが、アペレスの美しい絵画の映像であり、古い言葉で描かれた姿であっ

Ēgressīs vetulae laqueōs et vincla gerentēs
occurrunt[3], captīs īniciuntque[3] manūs,
et dūrō^ facilēs castīgant[1] ^verbere vinctōs, 225
atque renītentēs fūstibus usque domant[1].
Quās inter nōn est in plūrēs saevior ullā
quam prīmā, articulīs attenuāta suīs,
pallida quae partim, partim rubet[2] ignea vultū,
et nisi mē fallunt[3] omnia, Febris erat. 230
Saevit[4] et in multōs membrīs^turgentibus ūna
Hydrōps, sulphureī^ crassa ^colōris anus.
Nec furit[4] in paucōs scabiōsō^corpore Psōra,
hōs pulsāns, illōs improba crīne trahēns.
Ūna sed ante aliās sexcentīs obsita pannīs 235
afficit[3] omnīnō corpora nūda flagrīs,
squālida^Paupertās cernentibus esse vidētur[2]
mendīcī^speciē sordida macra fame.
Vēlivolō^currū cum Lētō vecta^Senectūs,
prōterit[3] et iuvenēs, prōterit[3] axe senēs. 240
Et plūrēs aliae, quārum mihi nōmina nōn sunt
cōgnita, captīvōs sub iuga dūra trahunt[3].

17 **nacta:** nancīscor, ī, nactus sum「得る」18 **tecta:** tegō, ere, texī, tētum「覆う」23 **laqueōs:** -us, ī, *m.*「輪縄」**vincla** = vincula: -um, ī, *n.*「鎖」23 **īniciunt:** īniciō, icere, iēcī, iectum「拘束する」25 **castīgant:** -ō, āre「矯正する」**verbere:** verber, eris, *n.*「鞭」26 **renītentēs:** renītor, ī「逆らう」31 **turgentibus:** turgeō, gēre, sī「腫れる」32 **crassa:** -us, a, um, *adj.*「よく肥えた」33 **scabiōsō:** -us, a, um, *adj.*「疥癬の」**psōra**, ae, *f.*「疥癬」35 **pannīs:** -us, *m.*「ボロ」37 **squālida:** -us, a, um, *adj.*「汚い」38 **macra:** macer, cra, um, *adj.*「痩せた」39 **vēlivolō:** -us, a, um, *adj.*「帆走の」40 **prōterit:** -ō, erere, rīvī, rītum「踏みにじる」

た。その美しい映像は我が詩を打ち負かすので、それに相応しくない技法で我れが君のために描いたものだ。今我れに残ることは、これらの形にどのような意味があるかを、長くない詩で片付けることだ。

『酩酊の庭園』の意味

この古い映像で君が見るのは、二つの人生、鏡の中の節制の喜びと酩酊だ。ブドウの木のある場所に、多くの花に囲まれた館があり、喜びは外側、酩酊は内側にある。しかし、その最大のものが庭園へと導く平地を通る小径と、そこへ行く無数の大衆の群れは、全員が貪欲に安逸を追求し、気も心も快楽に取り込まれていることを示している。限界を守り、バッコス神から退くことを果たした前者は、健全な理性で家に帰ることを君は見る。

楽しみの限界と時間を無視する後者は、故に囲いの中での毎日の放蕩を狙う。これらの大酒飲みは、理性を完全にまで喪失し、麻痺した家畜に堕してしまうことを君は見るだろう。

彼らは、重篤な病気によりそこから追い出されるか、または現実の貧困により、酷い

Tālis Apellēae tabulae^flōrentis imāgō,
    et faciēs^ veterī grammate ^picta fuit,
quam tibi, nōn quālī decuit[2], dēpinximus[3] arte, 245
    vīcit[3] enim haec versūs^ ingeniōsa ^meōs.
Nunc superest[0], pictīs quae sit sententia fōrmīs,
    carmine nōn longō discutienda mihi.

Cōnspicis[3] hāc^ geminās ^priscā sub ^imāgine vītās
    et speculum siccae laetitiae atque Methēs. 250
Laetitiae est extrā locus, ēbrietātis at intrā,
    mānsiŏ^ vītigerī flōrida ^saepta locī.
Sed via per campum, quae maxima dūcit[3] ad hortum,
    cōpiaque innumerae^plēbis euntis eam,
significat[1] cupidē sectārier ōtia cunctōs, 255
    adque voluptātēs mente animōque rapī,
sed tamen hōs servāre modum, et discēdere Bacchō
    perfūnctōs, salvā^ cum ^ratiōne domum;
illōs, ignōrāre modum tempusque fruendī
    atque ideō in saeptīs lustra diurna sequī, 260
āmissā^ dōnec penitus ^ratiōne, bibōnēs
    vīderis[2] in brūtum^ dēgenerāsse ^pecus,

44 **grammate:** gramma, atis, *n.*「言葉」55 **sectārier** = sectārī: sector, ārī「追求する」不定詞。51 **adque** = et ad. 56 **rapī:** rapiō, ere, uī, tum「取り込む」受動不定詞。58 **perfūnctōs:** perfungor, gī, ctus「果たす」60 **diurna:** -us, a, um, *adj.*「毎日の」61 **penitus,** *adv.*「完全に」**bibōnēs:** bibo, ōnis, *m.*「大酒飲み」62 **dēgenerā**(vi)**sse,** -ō, āre「堕する」

飢えに追いこまれ、裸の半獣となって遂に追い出されるより前に、理性を残して放蕩から退くことはない。
　これがエブリエタス（酩酊）だ。彼女は、ほとんど敵に与えられることにすら十分に適していないような贈り物を、彼女の信者たちに報いる。エブリエタスは、狂暴な悪、魅惑的な毒、蜜の禍、甘い苦味だ。彼女は、醜い罪悪と酷い快楽だ。あたかも体と心の疫病かのように、彼女を避けるように。
　今は若者も老人も、気違いどもが、至る所で彼女に礼拝を行い、ソブリエタス（節制）を遠くに押しやる。信じて欲しいが、この悪に勝るものはなく、これより早く体と天賦の才を君が失うものはない。如何に有力な者の例でも、それに動かされ影響されて、醜い破滅への指導者に従わないように。

酩酊の諸相

　今、如何に宮廷がすべての罪悪に満ちているとしても、これより他の罪悪が偉大な宮廷を占拠したことはない。牙城の頂点を取ったのが酩酊であるかの如く、そのように宮廷の生活は絶えない酩酊である。今、酒で腫れた宮廷では、節制の財務官、騎士、執政

nec prius absistunt[3] lustrīs ratiōne relictīs,
quam illōs aut morbus dūrior inde fuget[1],
aut tandem nūdōs abigat[3] pēnūria rērum, 265
sēmiferōs dūrae^ prōiciendŏ ^famī.
Haec est Ēbrietās, cultōribus ista rependit[3]
dōna suīs, hostī vix satis apta darī.
Ēbrietās furiāle^malum, blandumque venēnum,
mellītum exitium, dulcis amāritiēs. 270
Ēbrietās vitium^dēfōrme, et foeda^voluptās,
hanc fuge[3i] ceu pestem corporis atque animī;
cui nunc sacra ferunt[0] passim iuvenēsque senēsque
vēsānī, pulsā^Sōbrietāte procul.
Hōc, mihi crēde[3], malō nōn est praesentius ullum, 275
quō citius perdis[3] corpus et ingenium.
Nullius^ exemplō quamvīs moveāre[2] ^potentis,
quem turpī^ affectus ^lābe sequāre[3d] ducem.

Nōn aliud vitium nunc magnās possĭdet[2] aulās,
quamvīs nunc vitiīs^omnibus aula scatet[2]. 280
Sīc, velut ēbrietās, quae summam prendidit[3] arcem,
perpetua^ēbrietās aulica vīta modo est,
nec grātus tumidae servit[3] modo sōbrius aulae
quaestor, eques, cōnsul, mūliŏ, scrība, coquus.

63 **absistunt**: -ō, istere, titī「退く」64 **fuget**: -ō, āre「追い出す」65 **abigat**: - ō, ere「追い出す」**pēnūria**, ae, *f*.「貧困」69 **furiāle**: -is, e, *adj*.「狂暴な」**blandum**: -us, a ,um, *adj*.「魅惑的な」78 **lābe**: lābēs, is, *f*.「破滅」79 **possīdet**: -īdō, īdere, ēdī, essum「占拠する」80 **aula**, ae, *f*.「宮廷」**scatet**: scateō, ēre, uī「満ちる」

官、ラバ引き、書記、料理人は、奉公しても喜ばれない。至る所で君はティルソス（バッコス神の聖杖）を持った酔漢たちが統治するのを見る。指導者たちは絶え間ない酩酊に滴っている。良い初心者よ、もし君が飲みで象に比肩することができるならば、君は宮廷から宮廷人として相応しい特典を得る。騎士階級は、今、その他のことに興味がなく、各人は大量の生の酒で有名になることを求める。かつて心も武器も戦を恐れず、ヘクトルの手の力と行いを生んだ者たちは、今、女性的なバッコス神の大人しい陣営に従い、軍神を遠ざけて怠惰に杯を追う。彼らは、楯の代りに酒酌み器を、槍の代りにティルソスを握り、兜の代りに花冠で髪を巻く。

聞くが、如何なる他の狂気が市民を惑わすか。どの街でも強力な酩酊が支配している。スパルタ人は、彼らの子供が見るように、祭礼の昼に酔った奴隷を展示した。これは、その習慣の酷い侮辱を見て、若いうちにこの罪悪を忌避することを学ばせるためだった。今では父親自身が奴隷の範に倣い、彼らが子供たちの酩酊の指導者である。

しかし、バッコス神の祭典以外に大衆は何を求めるのかといえば、酒飲みの彼らは酩酊の杯を愛するのだ。

ああ、犠牲を捧げる断食の僧侶たちよ。彼らは、節制された質素な生活の極致と大衆

Cernis[3] thyrsigerōs^ passim rēgnāre ^merōnēs, 285
assiduā^ stīllant[1] ^ēbrietāte ducēs.
Sī poteris[o], bone tīrō, elephantā aequāre bibendō,
aulicus ex aulīs praemia digna ferēs[o].
Nōn aliō studiō nunc ōrdŏ tenētur[2] equestris,
quisque cupit multō nōbilis esse merō. 290
Quī quondam intrepidus Māvortī pectore et armīs,
ēdidit[3] Hectoreae^ fortia facta ^manūs,
mollia fēmineī sequitur[3d] nunc castra Lyaeī,
et sequitur[3d] sprētō^ pōcula ^Marte piger.
Prō clipeō cyathōs tractat[1], prō cuspide thyrsōs, 295
prō galeā sertīs implicat[1] ille comās.
Quae, rogŏ[1], nunc alia īnfatuat[1] vēsānia cīvēs?
Ēbrietās^ omnī rēgnat[1] in urbe ^potēns.
Vīnōsōs servōs festā^ ōlim ^lūce Lacōnēs
spectandōs nātīs exhibuēre[2] suīs, 300
quō dētestārī puerīlis^ disceret[3] ^aetās,
hōc vitiī, mōrum turpia^probra vidēns.
Nunc ipsī patrēs servōrum exempla sequuntur[3d],
suntque suīs nātīs ēbrietāte ducēs.
Sed quid sectātur[1d] nisi Bacchānālia vulgus? 305
Ēbria vīnōsum^ pōcula ^vulgus amat[1].
Sōbria frūgālis^ quōs ^vītae lūmina vulgus,
iēiūnōs monachōs sacrificōsque, putat[1],

85 **merōnēs:** merō, ōnis, *m.*「酔漢」91 **Māvortī:** Māvors, ortis, *m.* 軍神。92 **ēdidit:** ēdō, ere, idī, itum「産む」95 **thyrsōs:** -us, ī, *m.* バッコス神の聖杖。97 **vēsānia,** ae, *f.*「狂気」99 **Lacōnēs:** Laco, onis, *m.*「スパルタ人」02 **probra:** -um, ī, *n.*「侮辱」07 **lūmina:** lūmen, inis, *m.*「極致」

から思われ、神聖な節制以外には何も称賛しない。しかし、彼らの言葉は渇きを認め、彼らの食卓は杯を認める。彼らは、不断の肥満に身を委ねて放蕩し、その放蕩の中で絶え間ない酩酊に専念している。

結局、もし君が彼らの生活を正確に判断すれば、修道士たちの合唱隊が熱心に求めるのは、以下のもの以外はない。即ち、娼婦、快楽、整えられた食卓の杯、装飾、放蕩、安息日、贅沢、安逸、賽子、最悪の巣窟、酒場、冒瀆からの自由、労働を欠く人生だ。彼らは、剃った頭と宗派と種々の上衣で、地球のすべての地域をあまねく満たす。

要するに、酩酊は地球のすべてで止まる所がなく、あまねくすべてが喜んで飲む男たちで満ちている。これが広い小径の中ですべての人間が絶えず歩みたい、最も踏み慣らされたあの道だ。質素な生活は軽視され、奇怪な飲みの欲望がすべての者を捕えている。今、酩酊が最大の男らしさと言われる。誰でも乾いた口でこれを減らす人は、話しているとは思われないだろう。すべての著名人たちはこれにより栄光を求め、すべての人たちはこれにより名声、恩顧、評判、好意を求める。

もし大酒飲みで、大量の酒を失うことができなければ、誰も善良で強靭であるとは見られない。もし杯に対抗する力が弱ければ、君は存在しない。もし多数の杯を飲み干さ

quī praeter sanctam^ nil laudat[1] ^sōbrietātem,
quōrum lingua sitim, pōcula mēnsa probat[1], 310
trādita perpetuae sybarissat[1] turba sagīnae,
et vacat[1] assiduae lūxuriandŏ Methē.
Dēnique nōn aliud, sī vītam expendis[3] ad unguem,
rēligiōsōrum quaeritat[1] ille chorus:
scorta, voluptātēs, īnstructae pōcula mēnsae, 315
dēliciae, luxus, sabbata, lautitiae,
ōtia, taxillī, turpissima lustra, popīnae,
lībertās scelerum, vīta labōre vacāns.
Verticibus rāsīs, sectīs, variīsque cucullīs,
implērunt[2] omnēs^ prōrsus in orbe ^plagās. 320
Ēbrietās tōtō^ breviter nōn cessat[1] in ^orbe,
sunt passim bibulīs omnia plēna virīs.
Haec illa est lātō^ trītissima sēmita ^calle,
vādere continuē quam cupit[3i] omnis homō.
Est in contemptū frūgālis^vīta, libīdō^ 325
pōtandī cunctōs ^prōdigiōsa tenet[2].
Dūcitur[3] ēbrietās nunc virtūs^maxima, nēmō
carpentem hanc siccō^ rēbitur[3d] ^ōre loquī;
quaeritur[3] hāc celebrīs nunc cunctīs glōria, cunctīs
quaeritur[3] hāc nōmen, grātia, fāma, favor. 330
Nēmŏ bonus nunc est, nec strēnuus esse vidētur[2],

11 **sybarissat:** sybarissō, āre「放蕩する」**sagīnae:** -a, ae, *f.*「肥満」12 **lūxuriandō:** lūxuriō, āre「放蕩する」13 **ad unguem**「正確に」unguis, is, *m.*「爪」16 **dēliciae,** ārum, *fpl.*「装飾」**lautitiae:** -a, ae, *f.*「贅沢」17 **popīnae:** -a, ae, *f.*「酒場」19 **verticibus:** vertex, icis, *m.*「頭頂」20 **plagās:** -a, ae, *f.*「地域」26 **prōdigiōsa:** -us, a, um, *adj.*「奇怪な」

なりれば、君は存在しない。

このように、集団の周りに柔軟に目を向けたい人は、悪い例に騙される。指導者オデュッセウスよ、君の仲間のように、彼らは甘美な薬として味わったロトスを手放さない。もし君が安全な船を出て酒の中で泳ぎたいのなら、極めて魅惑的なセイレンは君の例に従わない。［訳注・伝説ではオデュッセウスをおびき寄せられなかったセイレンは投身したが、ここではそうしない意。］

最良の若者よ、お願いだから、醜い習慣について熟考するように。大酒飲みが理性を失って間違う各個のものを目の前に置けば、君はどんな混沌でもその姿よりは醜くないことを知る。君は、キルケの媚薬によって人間が野獣のような恐ろしい怪物に変えられたと言う。酒宴の映像を見て、君は大声を出し、乱されて恐ろしい声色でこのように言うことを強いられるだろう。

「退け、大酒飲みや大食い。退け、貪食。ティルソスを持つ密教僧の醜い種族は退け。君たち大酒飲みは、なぜ家畜よりもよい生活をしているのか。聞くが、如何なる狂乱が君たちの心を動かすのか。これは喜ぶことではなく、狂うことだ。さらに、これは酒を飲むことではなく、失うことだ。快楽に耽る醜い生活に従う者、堅固な道義を空疎な名

plūrima nī poterit perdere vīna bibāx;
nullus eris sī sunt ignāvae^ ad pōcula ^vīrēs,
plūrima nī siccēs[I] pōcula nullus eris.
Quō circā flexōs oculōs intendere turbae 335
quī vult, exemplō fallitur[3] ille malō;
nec dēgustātam^ dulcī medicāmine ^lōtum
dēseret[3], ut sociī, ductor Ulysse, tuī.
Tē trahat[3] exemplum nullum blandissima Sīrēn,
sī salvā^ ē vīnō ^puppe natāre cupis[3i]. 340
Contemplāre[Id], precor[Id], foedōs^, puer optime, ^mōrēs,
et pōne[3] ante oculōs turpia quaeque tuōs,
quae bibulī āmissā^ peccant[I] ^ratiōne; vidēbis[2]
hāc^faciē nullum^ foedius esse ^chaos.
Mūtātōs^hominēs dīcēs[3] in mōnstra ferārum 345
horrida Circaeīs esse venēficiīs.
Tollere clāmōrem cōgēris[3] imāgine^vīsā
symposiī, et mōtus dīcere vōce^trucī.
"Cēdite[3] lurcōnēs, comedōnēs, cēdite[3] ventrēs,
turpe^genus mystae, cēdite[3] thyrsigerī! 350
Quae vōs vīta tenet[2] plūs quam pecuīna bibōsī?
Quae furiae, quaesō[3], pectora vestra movent[2]?
Hōc nōn est gaudēre, sed īnsānīre, bibōnēs,
hōc equidem est vīnum perdere, nōn bibere!
Vīta voluptātī quibus est turpissima, quīque 355

37 **lōtum**: -us, ī, *f*. 実を食べると苦悩を忘れるハス。41 **contemplāre**: -or, ārī, ātus「熟考する」命令法。44 **chaos**, chai, *n*.「混沌」主格。45 **ferārum**: fera, ae, *f*.「野獣」46 **venēficiīs**: -ium, ī, *n*.「媚薬」49 **cēdite**: cēdō, ere, cessī, cessum「退く」**ventrēs**: venter, ris, *m*.「貪食」

目と考える者、より良い名声の称号を軽視する者、彼らが醜い大酒飲みの君たちの群れに続く。」と。

そのような人生を生き続ける者は、一方で人間を捨て、他方で感覚を失う。すべての家畜は飲酒の程度を保つので、どのような野獣もそのようには飲まない。故に、どの野獣よりも醜い人間だけが、飲みの限度を置くことを知らない。神が自らの姿に形作り、心という卓越した贈り物で飾った人間は、恥ずかしくもその醜い喉ですべての野獣と動物にまさる、汚れた動物だ。

このために、喜ばしいブドウの木の有名な植樹者が、地球に柔和な生の酒の嬉しい贈り物を広めたのではない。［訳注・ここでは聖書に依拠して、ノアがブドウの木の耕作者であったとする。『聖書』創世記九・二〇］

父は、渇きを鎮めるために酒が与えられた時に、その格別のものを我れらが軽率に乱用しないことを命じる。飲むべき神酒の正しい使用は禁じず、その楽しみと戦わないことを教える。絶えず酩酊している酒飲みたちを嫌い、絶え間ない酩酊は悪徳とされる。

しかし父は、いつも君がしかるべきより以上に喉が渇いて飲む時に、怒ってすぐに急いで武器を取りに走るわけではない。

virtūtem^solidam nōmen ināne putant[1],
et fāmae titulum^vīlem meliōris habentēs,
sectantur[1d] vestrī^ turpia lustra ^gregis."
Exuit[3] hīc hominem, quī tālem^ vīvere ^vītam
sustinet[2], et sēnsūs^ perdidit[3] ille ^suōs. 360
Nullum sīc brūtum, neque bēstia^ sīc bibit[3] ^ulla;
mēnsūram pōtūs nam pecus^omne tenet[2].
Ergō, sōlus homō iam brūtō^ turpior ^omni
pōtandī nullum nōvit[2] habēre modum?
Quem deus ipse suā^ fōrmāvit ^imāgine, quemque 365
ēgregiīs^ animī ^dōtibus excoluit[3],
ille ferās omnēs, animālia cuncta pudendus
exsuperat[1] foedā, bestia spurca, gulā.
At nōn ille sator iūcundae^vītis in orbem
sparsit[3] in hōc placidī mūnera grāta merī. 370
Nōn iubet[2] eximiīs temerē nōs rēbus abūtī,
dummodo sēdandae^ sunt data[0] vīna ^sitī.
Nōn probhibet[2] iustum sūmendī nectaris ūsum,
sed neque cum geniō bella gerenda docet[2].
Assiduā^ graviter fert[0] ^ēbrietāte madentēs; 375
ēbrietās^ vitiō ^continuāta datur[0].
Sed neque mox properāns, quotiēs sitientius aequō
hauseris[4], īrātus currit[3] ad arma pater.

59 **exuit:** exuō, uere, uī, ūtum「捨てる」66 **ēgregiīs:** -us, a, um, *adj*.「卓越した」**excoluit:** -colō, ere, coluī, cultum「飾る」68 **gulā:** -a, ae, *f*.「喉」69 **sator**, ōris, *m*.「植樹者」70 **sparsit:** spargō, gere, sī, sum「広める」71 **eximiīs:** -us, a, um, *adj*.「格別の」72 **sēdandae:** sēdō, āre「鎮める」74 **geniō:** -us, ī, *m*.「楽しみ」

確かに、バッコス神の甘美さにより囚人となるとすれば、狡猾な酒は君の心を欺くかも知れない。不注意で間違ったなら、それは宥めやすい責めだ。頻繁な咎は責めに当たるが、稀なそれは責めを欠く。度々の過失は哀願と罰に値するが、頻繁な酩酊は罰されるべきだ。

晴れやかに生きるように。喜んで君の友達に混酒器を、君の会食者たちに満杯の杯を供するように。そして、君が重大な心配事によって悶絶する胸の内を抱える時に、それを楽しい酒で宥める一方、よく注意して、飲んで限度を超えないように。すべてはその限度に留めるべきだ。大量の酒で理性が溺れ、埋まり、酒壺の中で難破させられて、波立つことがないように。

一般的に我が同邦人はこのような酒宴を行うが、そこでは酩酊が牙城の頂点に座っている。そこではバッコス神の杯を許された流儀で、満足して、質素に崇める者は誰もいない。

友人に招かれた会食者を偶々見ると、君は我れが確かに真実を語っていることを知るだろう。神酒で陽気になり、心配事をわきに置き、喜ばしい冗談で心を解こうとする者は誰もいない。誰も節制されたソプロシュネ（節制）に敬意を表さず、誰も節制に対する

Quippe potest[0] fierī ut Bacchī dulcēdine^captō,
 impōnant[3] animō vīna dolōsa tuō. 380
Errastī[1] imprūdēns; facit[3i] hōc plācābile crīmen;
 culpa frequēns digna est crīmine, rāra vacat[1].
Crēbrī^ supplicium ^lāpsūs poenamque merentur[2],
 ēbrietās^ poenā est afficienda ^frequēns.
Vīve[3] hilaris, laetusque tŭtīs crātērăs amīcīs 385
 plēnaque convīvīs pōcula pōne[3] tuīs,
ac tua iūcundō plācātō[1] pectora vīnō,
 quae gravibus cūrīs exanimāta geris[3],
dummodo nē fīnēs, cavĕ[2], trānsgrediāre[3d] bibendō.
 Omnia nam mētā sunt cohibenda suā, 390
nē ratiō^ multō ^submersa vel obruta vīnō,
 flūctuet[1] in mediīs naufraga facta cadīs.
Quālia nunc agitant[1] fermē convīvia nostrī,
 in quibus ēbrietās arce suprēmă sedet[2].
Nēmō contentē, nēmō frūgāliter istīc 395
 Bacchī concēssō^ pōcula ^mōre colit[3].
Respice[3i] convīvās^ ab amīcō forte ^vocātōs,
 comperiēs[4] equidem mē tibi vēra loquī[3d].
Nēmō sēpositīs diffūsus nectare cūrīs,
 iūcundīs quaerit[3] solvere corda iocīs; 400
nēmō Sophrosynēn^ dignātur[1d] honōre ^modestam,
 nēmō respectum sōbrietātis habet[2].

80 **dolōsa:** -us, a, um, *adj.*「狡猾な」81 **crīmen,** inis, *n.*「責め」82 **vacat:** ō, āre「欠く」83 **lāpsūs:** -us, ūs, *m.*「過失」84 **poenā** afficiō「罰する」88 **exanimāta:** exanimō, āre「悶絶する」90 **mētā:** -a, ae, *f.*「限度」93 **fermē,** *adv.*「一般的に」98 **comperiēs:** -periō, īre, ī, tum「発見する」

尊敬を払わない。今では地球のすべてで、酩酊の庭園に向かって同じ駆け足で急がない人が見分けられることは、殆どないと言われている。

今、我が同邦人の酒宴を見るように。友の読者よ、なぜ遠くにその例を求めるのか。主人は酔った友達を送り出すように努める時に、彼はすべての方法でそれに努力する。

バッコス神を注ぐとすぐに、彼らは酒の戦いを挑む。初めに一杯の酒杯、すぐに二杯、そして三杯。杯は干され、酒酌み器が輪に回り、どよめきで家が揺り動かされるほどに飲まれる。古酒と新酒の銘醸の様々な混酒器が持ち出され、こちらでは古酒で、あちらでは新酒で挑戦する。他の場所からは、透明のガラスに入れられた赤い色の酒が誰でも飲むように到着する。そして、少なくとも底なしの大食いでなければガブ飲みしないような、模造のまたは珍奇な酒を誰が吟味するのか。

バッコス神（ワイン）につないで、滴るケレス神（ビール）の杯が仲間となる。思うに、この杯は神々が怒っている時に発見されたのだろう。すぐに飾り台は酒で滴り、床机は酒で洗われ、濡れた床は大量の酒を飲む。机からは酒が増水した川のように流れ落ちる。我れには、稀にとは言わず、酒壺が泳ぐのが見えた。

何という放蕩か、何という酒の浪費か。如何に多くの満杯の杯が、沈没し漂流するか。

Quī nōn aequālī^cursū contendat[3] in hortum,
vix nunc in tōtō^ cernier ^orbe datur[o].
Sed nunc bella vidē[2] patriae convīvia nostrae; 405
cūr procul exemplum, lector amīce, petās[3]?
In quibus ut madidōs hospes dīmittat[3] amīcōs,
hōc studet[2], hōc cunctīs nītitur[3d] ille modīs.
Prōtinus īnfūsō certant[1] pugnāre Lyaeō:
prīmum ūnō, geminō mox calice, inde tribus. 410
Pōcula siccantur[1], cyathī vertuntur[3] in orbem;
pōtātur[1] strepitū^concutiente domum.
Et vetus atque novum variō^crātēre Falernum
prōmitur[3], hīc veterī prōvocat[1], ille novō.
Ex aliā rubeī^ veniunt[4] dē parte ^colōris, 415
cuivīs perspicuō vīna bibenda vitrō.
Iam quis factĭcia atque exōtica vīna recēnset[2],
quae saltem ingluviēs pōcla profunda vorat[1]?
Accēdunt[3] madidae^Cereris coniūncta Lyaeō
pōcula; nōn aequīs, crēdŏ[3], reperta deīs. 420
Mox abacī vīnō stillant[1], et scamna lavantur[1],
perfūsumque bibit[3] plūrima vīna solum.
Dē mēnsīs currunt[3] crescentia flūmina rīvīs,
haud vīsī[2] rārō sunt mihi nāre cadī.

04 **cernier** = cernī: cernō, ere, crēvī, crētum「見分ける」受動不定詞。08 **nītitur:** nītor, tī, sus/xus「努力する」12 **strepitū:** -us, ūs, *m.*「どよめき」**concutiente:** concutiō, tere, ssī, ssum「揺り動かす」16 **perspicuō:** -us, a, um, *adj.*「透明な」17 **factīcia:** -us, a, um, *adj.*「模造の」**recēnset:** -eō, ēre, suī, sum「吟味する」18 **ingluviēs**, ēī, *f.*「大食い」**profunda:** -us, a, um, *adj.*「底なしの」19 **accēdunt:** accēdō, ēdere, essī, essum「仲間となる」**Cereris:** Cerēs, eris, *f.* 穀物の女神。21 **abacī:** -us, ī, *m.*「飾り台」

しかし、この酷く醜い姿には、誰も動かされない。彼らは言う、「ここだ。ここで良いゲルマニア人が宴会しているぞ。」

しかし、野放図な酒が彼らの心を打ち負かし、酔いの巣窟で滑らかな舌が泳ぐと、酩酊した集団は、羞恥心が拭い去られ、その時何という不浄、何という卑猥を持ち出すことか。ここでは言葉に何の恥もなく、食卓への敬意もなく、貞淑な慎みの理性もない。どこでも子供たちの優しい耳を大切にせず、誠実な生活にとって有害な言葉が語られる。

ここで持ち出されるのは、卑猥な言葉のミレトス話［訳注・前二世紀頃のギリシア人ミレトスが書いた小話集、淫猥なものが多い。］、好色な物語、不道徳な窃盗（不倫）、ウェヌス神（性愛）だ。

硬いイチジクの樹のプリアプス神（男根）が酔った口で自慢され、ウェヌス神の不浄の戦いが語られ、笑うべきムーサ神の不道徳な歌が歌われ、最後に毒の生の酒が食卓に吐き出される。

見よ、ヘビとトカゲで満杯のブタを。彼らは、ヘビの毒液を口から吐く。生きたマムシ、サラマンドラ、ヘビ、ディスパス［訳注・噛まれると激しい渇きをもたらすと信じられた毒ヘビ］、ヒキガエル、トカゲ、オロチでもかかる毒は持たない。致命的なバシリスク［訳

Tantus adest[o] luxus, tanta est prôfūsiŏ vīnī, 425
tot submersa merō pōcula plēna fluunt[3].
Nōn movet[2] haec quemquam faciēs^turpissima, dīcunt[3]
"Hīc hīc Germānī discubuēre[3] bonī!"
Sed postquam indomitum vīcit[3] praecordia vīnum,
et natat[I] in madidō lūbrica lingua locō, 430
quam tunc spurcitiem, quae tunc obscaena, pudōre^
abstersō, prōfert[o] ēbria turba, precor[Id]?
Hīc nullus verbīs pudor, aut reverentia mēnsae est;
hīc ratiō^ castae ^nulla pudīcitiae.
Hīc nūsquam tenerae^ puerōrum parcitur[3] ^aurī; 435
dīcuntur[3] vītae noxia verba piae.
Prōmitur[3] obscaenā Mīlēsia fābula linguā,
historiae^mollēs, turpia fūrta, Venus.
Iactātur[I] madidō fīculnus in ōre Priāpus,
narrantur[I] Cypriae proelia spurca deae. 440
Turpia rīdiculae cantantur[I] carmina Mūsae,
et mera postrēmō mēnsa venēna vomit[3].
Ecce tibī porcōs serpentibus atque lacertīs
plēnōs, serpentum vīrus ab ōre vomunt[3].
Vīpera tam praesēns, nec habet[2] salamandra
venēnum, 445
nōn anguis, dipsas, būfŏ, lacerta, dracō.

25 **profūsiō**, ōnis, *f*.「浪費」29 **indomitum**, *adj*.「野放図な」31 **spurcitiem**: -ēs, ēī, *f*.「不浄」32 **abstersō**: abstergeō, gēre, sī, sum「拭い去る」37 **Mīlēsia**: -us, a, um, *adj*.「ミレトスの」38 **mollēs**: -is, e, *adj*.「好色な」39 **Priāpus**, ī, *m*. 豊穣の神。44 **vīrus**, ī, *n*.「毒液」45 **vīpera**, ae, *f*.「マムシ」46 **dipsas**, adis, *f*. 毒ヘビ。**būfō**, ōnis, *m*.「ヒキガエル」

注・アフリカの砂漠にすみ、一にらみまたは一息で人を殺したという伝説上のトカゲ」の姿ですらそれほど有害でなく、色褪せたトリカブトでもそれほどの害はない。麻痺させるコブラでもそれほどの力はないと思う。不潔なステリオン［訳注・エジプト北部にすみ、尾にとげのある星状のうろこが輪状に並ぶトカゲ」でも、彼らの酷く醜い食卓の毒ほどの、または彼らの節度のない舌禍の害ほどの、毒液は持っていない。

誰でも優雅な言葉で上品に見られるように努めるが、ここでは各人は下品さで他人に勝ちたいと思っている。そして、以前の生の酒と同様に、卑猥な口吻で恥ずべき言葉を卑劣に語ることを争う。

更に、数えきれない大食漢が、以前は沈黙の胸の内に隠していた秘密を暴露することも、加えよう。彼らは、見せかけを捨てて、隠されたものを表に出し、生の酒に圧迫された舌が彼ら自身の災いとなる。酒飲みの抑制のない口から出た悪い言葉が、再び戻って彼自身の首を切り離す。よく人口に膾炙する格言は的を射ている。即ち、「節制のない酒は舵を欠く。」

信じて欲しいが、酒の限度を超える人は、既に自らの頭や口の支配者でない。節制中には沈黙の心に隠し包んでいたものを、酩酊中にはすべて愚かな口に運ぶ。

Noxia^ lētiferī haud est sīc ^faciēs basiliscī;
  lūrida nōn adeō sīc aconīta nocent[2].
Nōn in somnificā^ tantās reor[3d] ^aspide vīrēs
  nec tantum immundus^stēlliŏ vīrus habet[2]   450
quantum habet[2] illōrum turpissima mēnsa venēnī
  et quantum illōrum perdita lingua nocet[2].
Quīlibet urbānus lepidō^ studet[2] ^ōre vidērī;
  vult[o] quisque hīc alium vincere spurcitiā.
Et quantum ante merō, tantum nunc turpiter ōre   455
  obscaenō certant[1] verba pudenda loquī.
Adde[3] quod innumerī^ retegant[3] arcāna ^gulōnēs,
  quae prius in tacitō^ dēlituēre[3] ^sinū.
Dēpositō referunt[o] in apertum condita fūcō
  et sibimet^fraudī lingua gravāta[1] merō est.   460
Quid quod et īnfrēnī^ vīnōsīs excidit[3] ^ōre
  improba^ per iugulum ^vōx reditūra suum.
Fertur[o] vēra nimis iactāta paroemia vulgō:
  'vīna gubernăculō nōn moderāta carent[2].'
Mēnsūram vīnī superāns et mentis et ōris,   465
  crēde[3], potēns nōn est amplius ille suī:
sōbrius occultē tacitō^ quae ^corde premēbat[3],
  haec stolidō^ cunctīs ēbrius ^ōre refert[o].

47 **lētiferī**: -fer, fera, ferum, *adj*.「致命的な」**basiliscī**: -us, ī, *m*. トカゲの一種。48 **lūrida**: -us, a, um, *adj*.「色褪せた」**aconīta**: -um, ī, *n*.「トリカブト」49 **aspide**: aspis, idis, *f*.「コブラ」50 **stēlliō**, ōnis, *m*. トカゲの一種。57 **retegant**: -ō, egere, ēxī, ēctum「暴露する」**arcāna**: -um, ī, *n*.「秘密」58 **dēlituēre**/ērunt: dēliteō, ēre, uī「隠れる」59 **fūcō**: -us, ī, *m*.「見せかけ」61 **īnfrēnī**: -is, e, *adj*.「節制のない」63 **paroemia**, ae, *f*.「格言」64 **gubernāculō**: -um, ī, *n*.「舵」

飲んでいない心に隠れていたものを、飲んだ舌が運び出し、埋められたすべてのことを公にする。それ自体が自身の不名誉だが、以前には上手く包み隠されていた自身の潰瘍が、すべての人に公表される。

これらは自身の証拠により公にされ、馬鹿にされるのだから、彼らは口からネズミを醜く吐いているのだ。

酒を飲んだ時に、滑稽にも聖書についてしばしば論究することを常とする者がいて、彼らは神聖なもののすべての神秘を精査する。

即ち、如何に滋養となる信仰が敬虔な者たちを福利で支えるか。聖書、キリスト、寵愛は何を用意するか。律法の命じる許で、人間は自己の裁量で何ができるか。神は永遠の命に誰を示したか。冥府の王神は恐るべき罰に誰を定めるか。

確かに、誰でも自身の天性を譲ることは否定するので、神聖なものに関する問題が持ち出されるたびごとに、これらの点について飲む集団の中で不和が起こり、それが起これば深刻な戦いになる。彼らは、神聖な律法のどんなに隠されたことでもすべてを、自らの手の指の如く知ることができる、と言い争う。その故に、少なくとも飲んでいない人々によって考察されるべきキリストの神秘を貪食者たちが売り渡す。

Nam siccō^ quae ^corde latent[2], haec ēbria lingua
effert[o], atque facit[3i] cuncta sepulta palam. 470
Dēdecus^ ipsa ^suum, sua cunctīs ulcera pandit[3],
quae bene cēlārat[1] dissimulāta prius.
Hī propriō indiciō prōduntur[3] et īnfatuantur[1],
atque ideō mūrēs turpiter ōre vomunt[3].
Sunt quī rīdiculē sacrā dē lēge frequenter, 475
dummodo iam pōtī, disseruisse solent[2].
Scrūtantur[1d] rērum mystēria cuncta sacrārum:
quā iuvet[1] alma^ piōs ūtilitāte ^fidēs,
quid lēx, quid Christus, quid grātia praestitit[1], et quae
possit[o] homō arbitriō, lēge iubente, suō, 480
quōs Deus aeternae praescīverit[4] undique vītae,
dīraque sub Stygiō^ quōs ^Iove poena manet[2].
Hīc vērō bibulās inter discordia turbās
exoritur[4d], pugnam^ quae parit[1] orta ^gravem,
dē sacrīs^ quotiēs prōfertur[o] quaestiŏ ^rēbus, 485
dum negat[1] ingeniō cēdere quisque suō.
Omnia dīvīnae^ quamvīs abscondita ^lēgis
ceu digitōs pugnant[1] noscere posse suōs.
Quārē prōstituunt[3] ventrēs mystēria Christī,
quae saltem siccīs sunt meditanda virīs. 490

70 **sepulta:** sepeliō, elīre, elīvī, ultum「埋める」**palam**, *adv*.「公に」71 **ulcera:** ulcus, eris, *n*.「潰瘍」72 **cēlārat**/cēlāverat: cēlō, āre「隠す」73 **indiciō:** -um, ī, *n*.「証拠」**prōduntur:** -ō, ere, idī, itum「公にする」**īnfatuantur:** -ō, āre「馬鹿にする」76 **disseruisse:** disserō, ere, uī, tum「論究する」77 **scrūtantur:** scrūtor, ārī「精査する」82 **Stygiō:** -us, a, um, *adj*.「冥府の」87 **abscondita:** -ō, ere, ī/idī, itum「隠す」89 **prōstituunt:** -uō, ere, uī, ūtum「身を売る」**ventrēs:** venter, tris, *m*.「貪食者」

ああ、共に飲む者たちよ、醜い畜群よ。君たちの論争は我れに含み笑いを誘う。君たち放蕩者たちが、今なお善行も積まなければならないか等、馬鹿げた言い争いで戦う時に、純粋に善の仕事であるような、称賛すべきことを君たちは何もしていない。君たちが酒場で不幸な酒杯をガブ飲みする時に、君たちは（もし神の御意ならば）友達を十分に信頼しているので、君たちが一杯飲むことに容易に同意するが、隣の人は弛まず十杯飲んでいる。

君たちのすべての口論の戦いは、肉（体）は命じられた飢え（断食）によって弱めるべきでない、という論点に掛っている。大酒飲みは多くはない言葉でこの議論を肯定するが、彼らは行いによってそれをより強力に証明する。彼らは命じられて断食したことは決してなく、自発的に肉体を抑制するために断食した腹で生きようともしない。確かに、酒と絶え間ない美食に中毒して、彼らは常に怠惰に腹を満たしている。そして、人々を特に驚かすのは、如何なる飢えも、あの渇きも、彼らを圧迫していないことだ。しかし、渇きがこれらの風流人たちを悩ますことが少ないほど、彼らは絶えず大量に虹のように飲む。［訳注・ローマの民俗によると、虹は地上から吸い上げた水を雲に運ぶという。］彼らは、可哀相なダナオスの娘たちの集団のように、巨大な酒甕のなかに逃げる水を汲み続けるよ

Ō compōtōrēs, foedum pecus, ut mihi saepe
  mōvērunt[2] mollem^ iūrgia vestra ^iocum.
Nam dum rīdiculā pugnā certātis[1] asōtī,
  num bona adhūc opera sint facienda quoque,
cernimus[3] haud ullum fierī laudābile factum 495
  per vōs, quod pūrae^ sit ^bonitātis opus.
Quam quod sat fidī (sī dīs placet[2]) estis amīcīs,
  dum miserōs calicēs vestra popīna vorat[1],
annuitis[3] facilē ut vōbīs sorbentibus ūnum,
  proximus impigrē pōcula dēna bibat[3]. 500
Omnis in hōc^ vestrae pugnae līs ^cardine pendet[2],
  quod carŏ* sit iussā^ nōn *măceranda ^fame.
Plūribus^ haec ^verbīs haud argūmenta bibōnēs
  cōnfirmant[1], factīs fortius illa probant[1].
Iussī iēiūnant[1] numquam, nec sponte domētur[1] 505
  ut carŏ, iēiūnō^ vīvere ^ventre student[2].
Quippe pigrum semper replent[2] abdōmine ventrem
  addictī vīnō perpetuaeque gulae,
et quae praecipuē capit[3i] admīrātiŏ multōs
  nōn hōs ulla famēs, nōn premit[3] illa sitis. 510
Quō tamen hōsce minus vexat[1] sitis habrodiaetōs
  hōc arcūs īnstar largius usque bibunt[3].
Dōlia sunt, crēdō[3], in quae vasta Danēia turba
  nec quicquam refugās ānxia fundit[3] aquās.

93 **asōtī:** -us, ī, *m*.「放蕩者」01 **līs**, lītis, *f*.「口論」**cardine:** cardō, inis, *m*.「論点」**māceranda:** mācerō, āre,「弱める」05 **iēiūnant:** -ō, āre「断食する」08 **gulae:** -a, ae, *f*.「美食」11 **habrodiaetōs**. -us, ī, *m*.「風流人」12 **arcūs:** -us, ūs, *m*.「虹」13 **Danēia:** -us, a, um, *adj*. ダナオスの子の。

うなものだ。〔訳注・ダナオスの五十人の娘たちは夫を殺した罪によって冥府で永遠に底に穴のあいた甕に水を満たす苦役に処された。〕彼らが、より多量の生の酒を繰り返し空の喉に注げば、彼らは更に多くの杯を繰り返し求める。大量の酒が、誠実な人々をこのようなエピクロスの群れに属す不潔なブタに変える。野蛮な子ロバが決して学んだことのない本を絵画の中で吐き出しても、それに誰が驚くだろうか〔訳注・本書二・二〇一参照〕。

その間に、心配のない生活の時間と同時に、軽蔑された神のうまく遠ざけられていない怒りが増加する。酒飲みは誰も天の主を探さず、その偉大な力を恐れない。こんな状態で、誰が将来の審判を憶えていられるか。誰が自身の死を憶えている力があるか。酒飲みの男たちにとっては、天は神話であり、冥府の死者の霊は神話であり、深い深淵も神話だ。酒におぼれる者に天の国を否定した、パウロの不吉で脅迫的な声も、酒飲みたちを動かさない。〔訳注・『聖書』コリントの信徒への手紙一、六・一〇〕

大きな酒壺で熱くなった時に、如何に人々が醜く振舞うかを、実際誰が述べ得るか。極めて簡単に説明しよう。どれほど多くの怪獣で世界は満ちているか、どれほど多くの野獣をアフリカの地は養うか、荒れ狂う北風が海を風で追い立てる時に、どれほど多くのイオニアの海岸を波浪が鳴り響く流れが叩くか、または、どれほど多くの貝殻が紅海

Quō plūs namque merī crēbrō in cava guttura
fundunt[3] 515
hōc magis atque magis pōcula crēbra petunt[3].
Tālēs immundōs Epicūrī dē grege porcōs
Efficiunt[3i] tantum plūrima vīna piōs.
Inde vomī ā rudibus^ quis dēmīrētur[1d] ^asellīs
in tabulā numquam quōs didicēre[3] librōs? 520
Intereā crescunt[3] sēcūrae tempora vītae,
īraque contemptī nōn bene sprēta deī.
Caelōrum dominum bibulōrum nēmŏ requīrit[3],
īrātī nēmō nūmina magna timet[2].
Quis sīc iūdiciī poterit[0] meminesse futūrī? 525
Quis potis est mortis sīc meminesse suae?
Fābula sunt superī, stygiī sunt fābula mānēs,
fābula sunt bibulīs alta barathra virīs.
Nec, quae vīnōsīs caelestia rēgna negārit[1],
vōx^ Paulis bibulōs ^dūra mināxque movet[2]. 530
Quis vērō memoret[1] quam dent[0] sē turpiter omnēs
hīc, ubi iam largīs incaluēre[3] cadīs?
Promptius expediam quot mōnstrīs mundus abundet[1],
aut quot alat[3] variās Āfrica terra ferās,
Iōnia undisonī^ quot pulsent[1] lītora ^fluctūs, 535
saevus^ ubī ^Boreās flātibus aequor agit[3],

19 **vomī**: -ō, ere, uī, itum「吐き出す」対格主語 librōs の受動不定詞。**dēmīrētur**: -or, ārī「驚嘆する」23 **requīrit**: -rō, rere, sīvī, sītum「探す」27 **mānēs**, ium, *mpl*.「死者の霊」29 **negārit** = negāverit. 30 **mināx**, ācis, *adj*.「脅迫的な」32 **incaluēre**/ērunt: incalēscō, ēscere, uī「熱くなる」36 **Boreās**, ae, *m*.「北風」**flātibus**: flātus, ūs, *m*.「風」

の海で生まれるか、どれほど多くの香り高いバラをヒュブラ山は咲かせるか、などだ。

より速く教皇権の呪うべき悪徳を述べよう。その悪徳は、誰も長編の『イリアス』にも書ききれない。その教皇権は、神キリストのすべての言葉を逆さにして、その規律によって全世界を欺いた。その欺瞞者は、その技法と計略を使って、全世界の略奪した富を貯め込んだ。あの「神聖な」教皇とローマの司教が、その教書によってどれほど多くの魂を冥府に突き落としたか。

酒に浸った人には、泣き出す者がいて、笑いの限度を守ることを知らない者もいる。ある者は富を自慢し、他の者は美人の妻の姿と家にいる子供を賛美する。第三の者は、貧しい乞食となり、貨幣は有り余るほど持ちながら、彼の困窮がもたらす多くの損害を泣きながら語る。兵士は、杯を交えれば勇敢な心を持つが、しらふで敵が接近しているのを見ると逃げる。

多くの者は、酒を飲むと賢さが増し、以前はミダス王だった者が、突然に賢人ソロンになる。こちらでは激高し、あちらでは泣きわめく。他の者は糞を垂れ、更に他の者は一気飲みをする。そちらでは、飲み込んだものを醜く吐いている。吐き終わった男は、急いで負担のかかった腹を再び満たし、すぐに奴僕に再び酒を注ぐように命じる。

aut quot Erythraeō nāscantur[3d] in aequore conchae,
  aut quot odōrātīs flōreat[2] Hybla rosīs.
Percurram[3] citius vitia^exsecranda Pǎpātūs,
  quae nullus longā^ scrīberet ^Īliade, 540
quī nam lēge^suā tōtum^ dēcēperit[3] ^orbem,
  Christī pervertēns omnia verba Deī;
quālibus ille dolīs impostor et artibus ūsus
  congessit[3] raptās^ tōtius^orbis ^opēs,
quotque suīs bullīs animās dēmīserit[3] Orcō 545
  Rōmānus praesul sanctulus ille pater.
Est quī perfūsus vīnō lacrimātur[I], et est quī
  nullum rīdendī nōvit[3] habēre modum.
Alter opēs iactat[I], fōrmōsae coniugis alter
  praedicat[I] et speciem, et pīgnora nāta domī. 550
Tertius Īrus egēns, quamquam dītissimus aeris,
  dēflet[2] egestātis plūrima damna suae.
Audācēs animōs gerit[3] inter pōcula mīles,
  sōbrius aspectō^ comminus ^hoste fugit[3].
Plūribus exhaustō crescit sapientia vīnō, 555
  fitque Solōn subitō quī fuit ante Midās.
Hīc furit[3], ille boat[I], cacat[I] alter, perbibit[3] alter.
  Ille, quod ingessit[3], turpiter inde vomit[3].

37 **Erythraeō**: -us, a, um, *adj*.「紅海の」38 **Hybla**, ae, *f*. シチリアの山。39 **exsecranda**: -or, ārī, ātus「呪う」40 **Īliade**: Īlias, adis, *f*. ホメロスの叙事詩。43 **impostor**, ōris, *m*.「欺瞞者」45 **bullīs**: bulla, ae, *f*.「教書」**Orcō**: -us, ī, *m*.「冥府」46 **praesul**, is, *c*.「司教」50 **praedicat**: praedicō, āre「賛美する」**pīgnora**: -us, oris, *n*.「子供」51 **Īrus**, ī, *m*. 乞食のあだ名。**aeris**: aes, aeris, *n*.「貨幣」54 **comminus**, *adv*.「接近して」57 **boat**: boō, āre「泣きわめく」**cacat**: cacō, āre, āvī, ātum「大便をする」

イヌが口から吐き出した餌を拾い上げるように、ああ、酷い彼らはしばしば吐いたものを再び飲み込む。酩酊によって強くなった男たちは、他人に吐き気を催させるような、醜く粗暴なものを貪食する。ガラスの壺、酒差し、カゴの中のさえずる鳥たちも、彼らの噛み齧りから安全でない。

こちらの者は、陰部もあらわに踊るキュニコス（犬儒）学派を再現する。［訳注・キュニコスは「犬のような」の意。犬儒学派は古代ギリシア哲学の一派で社会制度・習慣を無視して犬のように無欲な自然生活を営むことを理想とした。］他の者は、躊躇なく、ある種の更に醜いことを行う。こちらでは醜くげっぷをして、あちらでは汚物と嘔吐に満たされ、いびきをかきながら深い眠りの中に横たわっている。五番目の者は、喧嘩を始めて、不快な言葉を戦わせ、濡れた床に割れた杯を打ち付ける。

多くの者は、服を失くして泥に汚れ、夜も更けて這って家に帰ろうとする。多くの者は、自分の巣に鉛の荷のように運ばれ、戸の前では、稚拙な愛人となった男が、更に忌まわしく歌う。信じて欲しいが、このように遠吠えするのは狂気に駆られたオオカミの群れだ、と君は言うだろう。

これこそが、酒飲みの人生の醜い喜劇だ。君は、その舞台が至る所で男たちに満ちて

Ā vomitū stomachum properat[1] replēre gravātum;
mox iterum et famulōs fundere vīna iubet[2]. 560
Saepe etiam, ō, turpēs quicquid vomuēre[3] resorbent[2],
ut canis ēgestōs colligit[3] ōre cibōs,
aut aliquid foedī et crūdī, quod nauseat[1] alter,
saepe vorant[1] fortēs^ ēbrietāte ^virī:
vitrea vāsa, choās, nec sunt ā morsibus^illīs 565
in caveīs tūtae^, quae modulantur[1d], ^avēs.
Ille refert[0] Cynicōs nūdīs saltāre pudendīs,
nōn dubitāns quiddam turpius alter agit[3]. 568
Hīc foedē ructat[1], somnō iacet[2] ille profundō, 571
stertēns opplētus sordibus et vomitū. 572
Quintus adit[0] rixās, et linguā pugnat[1] amārā, 569
illīdēns madidō pōcula fracta solō. 570
Nōn paucī quaerunt[3] āmissā^veste lutōque 573
foedātī sērā^ rēpere ^nocte domum.
Plūrēs ad propriōs, ceu sarcina plumbea, nīdōs 575
portantur[1]; cantat[1] taetrius ante forēs
factus amātor iners; dīcās[3], mihi crēde[3], lupōrum
impulsōs rabiē sīc ululāre gregēs.
Haec illa est bibulae turpis cōmoedia vītae,
cūius ubīque virīs plēna theatra vidēs[2]. 580

67 **Cynicōs**: -ī, ōrum, *mpl.*「犬儒学派」**pudendīs**: -a, ōrum, *npl.*「陰部」**69-72** 内容の順序から 2 行毎の順番を入れ替えた。71 **ructat**: -ō, āre「げっぷをする」72 **stertēns**: -ō, ere, uī「いびきをかく」**opplētus**: oppleō, ēre, ēvī, ētum「満たす」**sordibus**: sordēs, is, *f.*「汚物」70 **illīdēns**: -dō, dere, sī, sum「打ち付ける」73 **lutō**: -um, ī, *n.*「泥」74 **sērā**; sērus, a, um, *adj.*「遅い」**repere**: rēpō, ere, sī, tum「這う」76 **tactrius**: taetrē, *adv.*「忌まわしく」

いることを見る。我れに残ることとは、全体の話がその部分と調和するように、最終幕を閉じることだ。

この喜劇では、誰も内容のない随伴者として扱われることを甘受せず、誰でも熱烈に役者であることを求める、ここでは、首領たちが軽視すべきドロモの仮面を負担と感じず、偉大な君主たちが無言道化師であることを恥ずかしく思わない。首領たちの王冠が酒に浸っていれば、平民は何をしただろうか。体の他の部分は、その頭に倣うのだ。

称賛を得る以外では、誰もかかる劇場から確りとした足取りで出ようとしないのだが、一方誰も舞台の役に立つことにまともに気を配らないし、どの酒飲みも人々を喜ばそうとはしない。彼らは、繰り返し醜い劇を賢明な人々に提供し、しばしば子供たちの笑いを買うことを常とする。

例えば、過度の生の酒に負かされた集団が、よろめく歩みで庭の真ん中を歩く時、夜の放蕩で争いが生じ、朝には広場中で狂気のようにそれが思い起こされる時、または、酒飲みが大きな声で自慢話をする時、などだ。

ある者は、どれほど多くの杯を昨晩飲んだかを語り、他の者は、酒に導かれて単独でどれほど多くの仲間を、その四肢を深い眠りに引き渡して、負けに追い込んだかを誇る。

Illa mihī superest[o] actū^ claudenda ^suprēmō,
    ut cōnstet[I] numerīs fābula tōta suīs.
Nullus in hāc patitur[3d] vacuus^spectātor habērī,
    histriŏ sed quīvīs fervidus esse cupit[3i],
nec gravat[I] hīc procerēs vīlis persōna Dromōnis, 585
    nec magnōs mīmōs hīc pudet[2] esse ducēs.
Quid facerent[3i] plēbēs, procerum sorbente^corōnā?
    Aemula sunt capitī^ cētera membra ^suō.
Et cum dē tālī^ nisi partā^laude ^theātrō
    quaerat[3] adhūc firmō^ nullus abīre ^pede, 590
nēmŏ tamen scēnae cūrat[I] servīre decenter;
    ē bibulīs populō nēmŏ placēre studet[2].
Turpia cordātīs crēbrō spectācula praebent[2],
    et puerīs rīsum saepe movēre solent[2]:
vel cum per mediās gressū^titubante plateās 595
    incēdit[3] nimiō turba gravāta merō,
vel cum nocturnīs sunt ēdita[3] proelia lustrīs,
    māne per īnsānum commemoranda forum,
vel cum magniloquā^ sē iactant[I] ^vōce bibōnēs:
    ille, quot hesternā^ pōcula ^nocte bibit[3]; 600
alter, quot sōlus sociōs, Bacchō duce, victōs
    compulerit[3] somnō^ trādere membra ^gravī;
ille, quot in somnīs tractās^ per pōcula ^noctēs

84 **histriō**, ōnis, *m*.「役者」85 **Dromōnis**: Dromō, ōnis, *m*. テレンティウス『兄弟』の奴隷の名。86 **mīmōs**: -us, ī, *m*.「無言道化師」88 **aemula**: -us, a, um, *adj*.「倣っている」93 **cordātīs**: -us, a, um, *adj*.「賢明な」**praebent**: praebeō, ēre, uī, itum「提供する」95 **titubante**: titubō, āre「よろめく」**plateās**: -a, ae, *f*.「庭」00 **hesternā**: -us, a, um, *adj*.「昨日の」

第一の者は、どれほど多くの夜を徹して生の酒で唇を濡らして過ごしたかを語り、第二の者は、声に出して笑いながら、彼が既に幾多の日々をまともな頭を持たずに暮らしたことを誓う。更に、第一の者は、飲んで理性を失い、どれ程多くの夜に図らずも豚小屋に残されていびきをかいたかを語る。

客を負かしたこと、家中の者に飲みで勝ったことを言い触らす者がいる。酒飲みからそれ以外の勝利を聞くことはできない。彼らは、生の酒を飲み干した誉れを刻み付けた記念品を持ち運ぶ。

更に、この醜い自慢は何を示すのかといえば（もし我れらが真直ぐに物事を判断したいのなら）、すべての酒飲みは、理性の感覚を失うと同時に、愚鈍な家畜に退化したのか。まともな頭の者は誰も、醜い事柄から気品のある称賛を得ることができるとは思わないだろう。思うに、誰も（冒瀆されて愚直でない限り）醜い悪徳について醜く喜ぶことはない。

酩酊より恐ろしく、あるいは醜いものがあろうか。酩酊は、誰もが彼自身を忘れるように仕向けて、恥知らずを生み、恥を忘れた心が何か許されない不条理に走ることを強いる。読者よ、酩酊は、高い特権のある如何なる有力者でも、彼らのよろめく足や心や

ēgerit[3] assiduē labra rigante^merō;
alter, rīdentī^ iūrat[1] sē ^vōce diēs* per 605
iam *multōs sānum^ nōn habuisse ^caput;
ille, quot āmissā^ noctēs ^ratiōne bibendō
sterterit[3] in foedā forte relictus harā.
Est quī dē victō^ sē iactitet[1] ^hospite, dēque
tōtā dēvictā sorbitiōne domō. 610
Nōn licet[2] ā bibulīs aliōs audīre triumphōs;
laude vehunt[3] haustī fixa tropaea merī.
Porrŏ quid haec aliud turpis iactantia signat[1],
(sī cupimus rectā rem reputāre viā)
quam semel āmissīs^ ratiōnis ^sēnsibus, omnēs* 615
in brūtum^ *bibulōs dēgenerasse ^pecus?
Nēmō spērābit[1] bene sānae^mentis honestum*
ē rē^ sē ^turpī sūmere posse *decus,
nec quemquam crēdō (nisi sit scelerātus et excors)
turpiter ob vitium turpe placēre sibi. 620
Foedius est aliquid, seu turpius ēbrietāte*?
Quemlibet immemorem *quae facit esse suī,
quae parit[3i] effrontēs, et corda oblīta pudōris
cōgit[3] in absurdum^ currere quodque ^nefās,
quaeque suī quōsvīs sublātō^iūre potentēs 625
dēicit[3], imbellēs invalidōsque parāns

04 **assiduē**, *adv*.「引き続いて」**rigante:** rigō, āre「濡らす」08 **sterterit** = stertuerit. **harā:** -a, ae, *f*.「豚小屋」09 **iactitet:** iactitō, āre「言い触らす」16 **dēgenerasse:** dēgenerō, āre「退化する」19 **scelerātus**, a, um, *adj*.「冒瀆された」**excors**, dis, *adj*.「愚直な」23 **parit:** pario, ere「生む」**effrontēs:** effrōns, ontis, *adj*.「恥知らずの」

言葉が十分にその職務を果たすことができない程に、彼らを弱く無力にして、滅ぼす。まともな分別が、抑制のない酒によって圧迫される。強い心は、多量の生の酒で砕かれる。技法を知らないと、狂ったバッコス神の巫女たちが酒の仲間になる。これらの大酒飲みの女たちは、酩酊した怪物に他ならないと思うように。酒は、すべての物の判断を取り去り、人間が人間であることを全く許さない。

酩酊の社会的側面

しかし、酒飲みたちは、酒の中に著名な名声の特権を狩りに行き、名声を求める情熱に捕えられている。無敵の酒飲みと言われる方が、ヘクトルの冒険の仲間であると言われるよりも、大きな名誉とされる。すべての者は、この名誉の名声をつかむために熱心に走り、他の者たちからこれを奪い取ることを喜ぶ。

もし立派な名声が黒い評判から来たら、もし潔白な名声が酷い悪徳から来たら、もし避けるべき不名誉が永遠の名誉を生んだら、もし酷い放蕩が絶えない評判を与えたら、甘美なバッコス神よ、神の不名誉な酒飲みたちが永遠に生きるであろうことを誰もが望むだろう。

ut iam nōn titubāns pēs, nōn mēns, linguaque possint[O]
amplius officium, lector, obīre suum?
Obruitur[3] gravis^ immodicō ^sapientia vīnō;
franguntur[3] multō fortia corda merō. 630
Maenadĕs īnsānae Bacchum^ comitantur[Id] ^inertem:
hās nisi lurcōnēs ēbria mōnstra putā[I].
Cunctārum^ tollit[3] Bacchus discrīmina ^rērum,
atque hominem prōrsus nōn sinit[3] esse hominem.

Sed tamen hinc clārae vēnantur[Id] praemia fāmae, 635
quaerendī hinc bibulōs nōminis ārdor habet[2].
Pōtōrem^invictum dīcī laus^māior habētur[2]
quam dĭcĭ Hectoreīs^ausibus esse parem.
Hanc^ avidē ^fāmam properant[I] contingere cunctī
laudis, et hanc aliīs praeripuisse iuvat[I]. 640
Sī venit[4] ē nigrō memorābile nōmine nōmen,
sī venit[4] ē vitiīs candida fāma malīs,
sī parit[3] aeternam^ fugienda īnfāmia ^laudem,
turpia sī praestant[I] lustra perenne^decus,
quis nōn perpetuō^ victūrōs ^tempore spēret[I] 645
īnfāmēs^bibulōs, dulcis Iacche, tuōs.
At nōn īnfāmī^ subsurgit[3] glōria ^fāmā;
turpibus ē rēbus glōria nulla venit[4].

31 **maenadēs:** maenas, adis, *f.* バッコスの巫女。**inertem:** iners, tis, *adj.*「技法のない」35 **vēnantur:** vēnor, ārī「狩る」38 **Hectoreīs:** -us, *adj.*ヘクトルの。**ausibus:** ausus, ūs, *m.*「冒険」**parem:** par, paris, *c.*「仲間」47 **subsurgit:** -ō, ere「生じる」

しかし、栄光は不名誉な名声からは生じない。栄光は、醜い物事からは来ない。強さへの小径は、細く、険しい。硬いイバラで囲まれたこの行程は、人々を戦慄させる。ここでは、称賛への愛により重大な不幸をも許容する者が、著名な評判の公示を得る。強さは、酒ではなく、汗により用意されるし、用意されるべきだ。名声の評判は、勤勉により育つ。

しかし、酒飲みよ、もしもまともな人々には非難される、君の大酒飲みの王冠の醜い狂気が称賛されるとしたら、その称賛の公示とは一体何なのか、または君のよい名声の如何なる部分となるのか。即ち、もし君が無尽蔵の生の酒に満ちた酒瓶に浸るのならば、またはもしどの飲み手でも君の法外な喉に対して正当な酒の試合を始めることができないのならば、ここから著名で称賛されるべき名声が生じる。それは、深淵と巨大なカリュブディス（シチリアの渦潮）を陵駕し、大飲のイリス［訳注・虹の女神。地上から雲に水を吸い上げるとされる。］を渇きの試合で負かそうとするようなものだ。

この悪徳に動かされなければ、激高したアキレウスがアガメムノンを非難し、酷く呼ばわることとは無かった［訳注・『イリアス』一・二二五］。もし図々しい酩酊が強さだったとすれば、少なくともかかる偉大な指導者において酩酊は称賛されるべきだった。

Est ad virtūtem tenuis perque ardua callis;
hōc^ saeptum dūrīs^sentibus horret[2] ^iter. 650
Hinc ille assequitur[3d] celebris praecōnia fāmae,
quī tolerat[I] cāsūs^ laudis amōre ^gravēs.
Nōn vīnō virtūs sūdōre paranda, parātur[I],
et fāmae crēscit[3] sēdulitāte decus.
Sed quae sunt tandem illĭus praecōnia laudis, 655
ō bibule aut fāmae portiŏ^quanta bonae,
sī tua multibibae vēsānia* foeda corōnae
laudātur[I], sānīs *vîtuperāta virīs?
Scīlicet hinc orĭtur[4d] clārum et laudābile nōmen
sī iūgī^ madeās[2] plēna lagoena ^merō 660
aut sī nēmŏ* tuō vastō^ cum ^gutture iustum^
certāmen vīnī *pōtor inīre potest[o]?
Hōc esset barathrum, et vastam^ superāre ^Charybdim,
aut Īrim^bibulam vincere velle sitī.
Haud aliō Atrīdam vitiō commōtus Achillēs, 665
vîtuperāns graviter mente calente vocat[I].
Sī fuerat virtūs^ petulāns^tĕmulentia, certē ^haec
in duce^ tam ^magnō laude vehenda fuit.
Exuis[3] hūmānōs sēnsūs, et bestia factus
ut paucīs placeās[2] turpia quaeque facis[3i]. 670

49 **callis**, is, *c*.「小径」51 **praecōnia:** -um, ī, *n*.「公示」57 **multibibae:** -us, a, um, *adj*.「大酒飲みの」**vēsānia**, ae, *f*.「狂気」58 **vituperāta:** vituperō, āre「非難する」59 **scīlicet**, *adv*.「即ち」60 **iūgī:** -is, e, *adj*.「無尽蔵の」**lagoena**, ae, *f*.「酒瓶」63 **Charybdim:** -is, is, *f*. シシリアの渦潮。64 **Īrim:** -is, is, *f*. 虹の女神。67 **tēmulentia**, ae, *f*.「酩酊」

飲めば、君は猛獣となって人間の感覚を捨てる。君は、それによって殆ど誰も喜ばせないし、何か酷いこともする。
酒飲みの群れの中で、第一の党派、酒飲みの頭、合唱隊の第一の名声を取るのは次の者だ。即ち、すべての娼家の主人、娼婦、大酒飲み、宿屋の主人、無言道化師、すべての浴場、料理人、遊技人、道化師、ポン引き、やり手婆、太鼓持ち、伴食者、奴僕、不潔な妓楼、（食客の）求婚者が、知っている者だ。更に、舞妓、床屋、（食客の）グナトたちとその他の放蕩と怠惰の群れを加えておく。
もしこの悪い集団が君の美食を称賛すれば、本当に君は名誉ある称賛と十分な戦利品を獲得する。しかし、君がそう思われようと滑稽に試みる時に、友よ、君は不名誉な破滅した道楽者と呼ばれるのだ。
君が彼らに従順である時は、人生は価値がなく見える。君はこれをあたかも腐ったリンゴであったかのように投げ捨てる。君は、君の体のために間違いなく最も醜いことを犯す。急ぎの死ですぐにも死ぬだろう美食家よ。君が相応しいより多い酒を舐める時に、君は野蛮にも自身の殺害者となる。
天は過度の雨で耕地を窒息させるが、抑制された雨は乾いた耕地を養育する。多量の

Dē grege vīnōsō partēs fert[o] ille priōrēs,
　et caput est bibulī fāmaque prīma chorī,
quem nōrunt[3] omnēs lēnōnēs, scorta, bibōnēs,
　caupōnēs, mīmī, balnea cuncta, coquī,
lūsōrēs, scurrae, lēnae, vetulae, parasītī, 675
　mēnsipetae, servī, sordida lustra, procī;
adde[3] ambūbăiās, tōnsōrēs, adde[3] Gnathōnēs,
　et reliquum^ luxūs dēsidiaeque ^gregem.
Ēgregiam vērō laudem et spolia ampla reportās[I],
　ista tuam laudat[I] sī mala turba gulam. 680
Cui dum rīdiculē cōnāris[1d], amīce, probārī,
　dīceris[3] īnfāmis^ perditus atque ^nepōs.
Dumque hīs obsequeris[3d], vīlis tibi vīta vidētur[2];
　prōicis[3] hanc tamquam putrida pōma forent,
inque tuum peccās[I] graviter turpissime corpus. 685
　Ō gulŏ^ praeproperā mox ^peritūre nece!
Nam dum plūra nepōs quam pār est vīna ligūrīs[4],
　ipse ferus^ certē fīs[o] ^homicīda tuī.
Iuppiter immodicīs quoque suffocat[I] imbribus arva,
　imber^ alit[3] siccōs sed ^moderātus agrōs. 690

73 **nōrunt** = nōvērunt: nōscō, ere. **lēnōnēs:** lenō, ōnis, *m.*「娼家の主人」74 **caupōnēs:** caupō, ōnis, *m.*「宿屋の主人」74 **balnea**, ōrum, *npl.*「浴場」75 **lūsōrēs:** lūsor, ōris, *m.*「遊技者」**scurrae:** -a, ae, *m.*「道化師」**lēnae:** -a, ae, *f.*「ポン引き」**vetulae:** -a, ae, *f.*「やり手婆」**parasītī:** -us, ī, *m.*「太鼓持ち」76 **mēnsipetae:** -a, ae, *m.*「伴食者」77 **ambūbāiās:** -a, ae, *f.*「舞妓」**Gnathōnēs:** Gnathō, ōnis, *m.* テレンティウス『宦官』の食客。78 **dēsidiae:** -a, ae, *f.*「怠惰」79 **spolia:** -um, ī, *n.*「戦利品」82 **nepōs**, ōtis, *m.*「道楽者」86 **gulō**, ōnis, *m.*「美食家」87 **ligūrīs:** ligūriō, īre「舐める」89 **imbribus:** imber, ris, *m.*「雨」

酒は害になるが、適度な利用は有益である。賢者は後者を、あまり健全でない者は前者を愛する。

シュバリス［訳注・イタリア南部の古代ギリシア植民地。市民の贅沢で怠惰な生活によって有名。］のような生活は種々の悲しみを加速し、病気や数多くの拷問の下地となる。酒で弱められた四肢は柔順な活力を失い、体全体が悪い流れに苦しむ。

ここから、頭の揺れる酷いめまいが起こる。引き続き、顔面の蒼白が定着する。それで、震える手と指の硬直による後弯を発し、苛酷な手の関節炎が柔軟な関節を拘束する。

ここから、しばしば筋肉が弱って感覚なく硬化し、そこで痛風が確りとしない足を縛り合わせる。更に、涙目はかすみ、いつも赤い。ここで、壊した腹から酷い苦痛が押し寄せる。

ここから、両耳のうなる耳鳴りが起こり、あたかも煩わしいキイチゴの中で騒々しいセミが鳴くようだ。更に、多種の熱病が密集した隊列を組んで到来する。疥癬、カサ、恐るべき水腫などだ。

ここから、頓死、遺言のない晩年、冷たい床で朝発見される屍になる。更に、夜中の狂乱の夢、多数の幻覚による安息のない眠りがくる。

Multus obest[0] vīnī, prōdest moderātiŏ ūsūs:
hunc sapiēns, illum nōn bene sānus amat[1].
Accelerat[1] variōs^ Sybarītica vīta ^dolōrēs,
illa subit[0] morbōs multiplicēsque crucēs.
Āmittunt[3] habilem vīnō ēnervāta vigōrem 695
membra, malīs corpus^ fluxibus ^omne dolet[2].
Hinc tremulī^capitis vertīgō^odiōsa resurgit[3],
hinc ille assiduē pallor in ōre sedet[2].
Inde manūs^tremulae, digitīque rigōre retortī,
vincit[4] ubi articulōs^ saeva chĭrāgra ^levēs. 700
Hinc torpent[2] nervī^ sine sēnsū saepe ^iacentēs,
stringit[3] et incertōs^ inde podagra ^pedēs;
hinc oculī fluidī, lippī, semperque rubentēs;
hinc male corruptō^ tormina ^ventre ruunt[3];
hinc utrāque sonat[1] strīdēns^tinnītus ab aure, 705
ceu sonat[1] in dūrīs rauca cicāda rubīs;
hinc quoque multiplicēs veniunt[4] dēnsō^agmine febrēs;
hinc psōrae, hinc scabiēs, hinc quoque dīrus hydrōps;
hinc subitae^mortēs, atque intestāta senectus,
fūneraque in gelidō māne reperta torō; 710

93 **Sybarītica**: -us, a, um, *adj*.シュバリスSybaris, is, *f*. の。95 **ēnervāta**: ēnervō, āre「弱める」98 **pallor**, ōris, *m*.「蒼白」99 **rigōre**: rigor, ōris, *m*.「硬直」**retortī**: retorqueō, quēre, sī, tum「後ろに曲げる」00 **chīrāgra**, ae, *f*.「手の関節炎」01 **torpent**: torpeō, ēre, uī「硬化する」02 **podagra**, ae, *f*.「痛風」03 **lippī**: -us, a, um, *adj*.「かすんだ」05 **tinnītus**, ūs, *m*.「鳴ること」06 **rauca**: -us, a, um, *adj*.「騒々しい」**rubīs**: rubus, ī, *m*.「キイチゴ」08 **scabiēs**, ēī, *f*.「カサ」**hydrōps**, ōpis, *m*.「水腫」

ここから、悪臭のする口からの最低の吐息があり、汚れた下水でもこれほどいつもは臭くない。

そして最後には、多種多様の壊滅に近い、体全体の頽廃が迫る。満杯の酒壺による節度のない酩酊が、君を苛酷で時期尚早の死に沈めないとしても、もし青年期にこの苦痛を感じなければ、君は年老いて更に酷いものに耐えなければならない。

確かに、酒飲みの青年期に続くのは、以前に無数の悪に身を任せてしまった病気の老年期だ。この愚かな狂気には、常に罰を伴う。節度のない放蕩の報酬は、病気だ。そしてここに、出て行くのが遅すぎた人々を出迎える群れがいる。この老婆たちは、酒飲みと夜更しを待っている［訳注・本書二・二二三］。見るところ、考えを変えることには多くの費用がかかるので、そこから憤怒と激情が来るのが通例だし、そこから悲惨な人生のかかる大きな損失と、［医術を司る］アポロンの手でも癒せない苦痛が来る。過度のバッコス酒で既に体が駄目になり、君の心の天賦の才も無くなった時に、酒飲みはすべてのものの忘却に覆われる。冥府の川レテの波により前世の記憶が心から除かれるように、多量の酒が心の記憶の部分を滅ぼす。

sunt hinc nocturnō furiālēs^ tempore ^somnī;
hinc multīs spectrīs irrequiēta quiēs,
hinc ille est olidī^ dēterrimus hālitus ^ōris,
foeteat[2] ut crēbrō spurca cloāca minus.
Dēnique tōtīus^ corruptiŏ ^corporis inde 715
imminet[2] exitiō proxima multiplicī.
Haec tua sī viridis^ nōn sentit[4] damna ^iuventūs,
hōc graviōra tibī sunt toleranda senī,
sī nōn ante diem tē fūnere^ mergit[3] ^acerbō
ēbrietās^ plēnīs ^immoderāta cadīs. 720
Omnīnō bibulam sequitur[3d] morbōsa iuventam,
subiecta innumerīs ante senecta malīs.
Semper habet[2] comitem stolida haec vēsānia poenam,
sunt morbī immodicae praemia luxuriae.
Atque haec est sērō ēgredientibus obvia turba, 725
hae vetulae bibulōs lychnobiōsque manent[2].
Tantī quod mentem mūtet[1] cōnstāre vidēmus[2],
unde solet[2] rabiēs, unde venīre furor,
unde tot afflictae veniunt[4] dispendia vītae
damnaque Paeoniā nōn medicanda manū. 730
Post, ubi corruptum est nimiō iam corpus Iacchō,
et dōtēs animī disperiēre[4] tuī,

13 **olidī:** -us, a, um, *adj*.「悪臭のする」**hālitus**, ūs, *m*.「吐息」14 **foeteat:** foeteō, ēre「臭い」**cloāca**, ae, *f*.「下水」16 **exitiō:** -um, ī, *n*.「壊滅」25 **obvia:** -us, a, um, *adj*.「出迎える」26 **lychnobiōs:** -ius, iī, *m*.「夜更し」27 **constāre:** cōnstō, āre「費用がかかる」奪格、属格をとる。29 **dispendia:** -um, ī, *n*.「損失」30 **Paeoniā:** -us, a, um, *adj* 医術を司る「アポロンの」32 **disperiēre**/ērunt: dispereō, īre, iī「無くなる」

我れは、酪酊に導かれて倍加する争い、口論、喧噪、打倒には沈黙しようと思うし、明白な物事に証人を加える必要もないが、それでも多数の中からごく少数のものには言及したい。

（我れは、なぜ遠い外国の例が必要だろうか。さあ、言おう。何が少し前に農夫たちを滅ぼしたか。彼らの酩酊した蜂起が、火災、激情、腕力、流血、打倒、殺人により、村々と耕地を荒廃させたのだ。）［訳注・ドイツ農民戦争、一五二四〜二五年にわたりバイエルンを除くドイツ全土に及んだ農民一揆。］

カンパニアの放蕩の杯だけが、無敵のハンニバルを負かしうるものにし、彼をローマの指導者たちに与えた。アレクサンドロス大王は酒に狂って、食卓を友クリトスの血で染めた。如何なる罪によりウィテリウス帝は権力から滑り落ち、罪人の鉤で引き回されたか。享楽、流血、多淫、酒によってだ。サルダナパルス［訳注・前七世紀アッシリア最後の王で豪奢な生活と臆病で知られる。］の習慣に従った罪深いネロ帝は、外ならぬその生活によって殺された。

何故我れは、酩酊という太古の悪徳により王座と権力から引き下ろされたより多くの指導者を述べようか。もし君が、さらに厳密にそれらを知りたいならば、ローマの歴史

obruit[3] et bibulōs cunctārum oblīviŏ rērum:
  partem animī memorem plūrima vīna necant[1],
nōn secus ac Stygiī Lēthaeā flūminis undā — 735
  tollitur[3] ē memorī pectore vīta prior.
Ut taceam[2] rixās, lītēs, convīcia, caedēs
  multiplicēs factās ēbrietāte^duce,
nōn opus est rēbus^manifestīs addere tēstēs,
  sed tamen ē multīs pauca referre volō[o]. — 740
(Et quid egô longē peregrīna exempla requīram[3]?
  Fāre[o], age: Quid nūper perdidit[3] agricolās?
Ēbria^sēditiō villās vastāvit[1] et agrōs
  igne, furōre, manū, sanguine, caede, nece.)
Invictum Hannibalem Campānī pōcula luxūs — 745
  vincibilem Latiō^ sōla dedēre[o] ^ducī.
Magnus Alexander vīnō furiōsus amīce
  īnfēcit[3] mēnsam sanguine, Clīte, tuō.
Quō scelere imperiō Vîtellius excidit[3], uncō
  tractus? dēliciīs, sanguine, pēne, merō. — 750
Nōn alia exstinxit[3] scelerātum^ vīta ^Nerōnem,
  sectātum mōrēs^, Sardanapāle, ^tuōs.
Quid memorem[1] plūrēs vitiō ēbrietātis avītō
  dē soliō pulsōs^ imperiōque ^ducēs?
Excute[3] Rōmānōs annālēs, excute[3] nostrōs, — 755
  sī magis exāctē tālia nosse cupis[3i].

35 **nōn secus**, *adv*.「と同様に」41 **peregrīna**: -us, a, um, *adj*.「外国の」43 **sēditiō**, onis, *f*.「蜂起」48 **īnfēcit**: īnficiō, icere, ēcī, ectum「染める」**Clīte**: -us, ī, *m*. アレキサンドロスの友人。49 **uncō**: -us, ī, *m*.「鉤」50 **dēliciīs**: -ae, ārum, *fpl*.「享楽」54 **soliō**: -um, ī, *n*.「王座」

や我々のものを調べるように。

もし古い詩人の物語に何か真実があるならば、ラピタイ族は多量の生の酒により屈服した。もしポリュペモスがオデュッセウスの革袋の酒を飲まなかったならば、彼は自分の日を救っていただろう。ユデトは、酪酊に埋もれたホロフェルネスを殺した、と聖書［ユデト書］は読者に教えている。ソドムとゴモラは、すべての非道の罪業をそこに引き寄せる酪酊によって引きずられ、壊滅させられた。

我々の時代に、如何に多くの十分に明るい才能の青年たちが、これらの酪酊の悪徳により滅びることか。

エブリエタス（酪酊）は、力を運び去ると、財布も運び去り、ヘラクレスの財産も打ち砕く。エブリエタスは、クロイソスとクラッススの財宝を貪食し、財産と相続した富を浪費する。［訳注・この両者は、莫大な財産で有名。］

エブリエタスの仲間はボロに覆われたエゲスタス（貧窮）で、エゲスタスの仲間は暗黒のラヴェルナ（利得）と言われている。彼女は、後で裸になった君を悪い行いに追い込み、悪い計略に相応しい金銭を求めるだろう。君は、悪い計略により醜い死を得て、これが遂に酪酊の終わりとなるだろう。

Sī quid habet[2] vātum^priscōrum fābula vērī,
et multō Lapithae succubuēre merō.
Sī nōn Dūlichiōs ūtrēs, Polyphēme, bibissēs[3],
servassēs[1] oculum sīc, Polyphēme, tuum. 760
Iūdith Holōfernem^ necat[1] ēbrietāte ^sepultum,
id quod lectōrem Biblia sacra docent[2].
Ēbrietāte, trahit[3] quae cuncta nefāria sēcum
crīmina, cum Sodoma versa Gomorrha iacet[2].
Quot iuvenēs nostrō seclō satis indole^clārā 765
hīs pessum vitiīs ēbrietātis eunt[o]?
Vīribus^exhaustīs exhaurit[4] et illa* crumēnam,
Herculeōs cēnsūs conterit[3] *Ēbrietās.
Thēsaurōs Croesī Ēbrietās Crassīque vorāret[1],
hāc rēs, hāc patriae dīlapidantur[Id] opēs. 770
Obsita^ panniculīs comes Ēbrietātis ^Egestās
fertur[o], Egestātis nigra Laverna comes.
Haec tē post nūdum compellet[3] ad improba facta,
utque parēs^nummōs suggeret[3] arte^malā.
Artibus exitium^ lucrābere[Id] ^turpe malignīs, 775
hīc tandem fīnis ēbrietātis erit.

58 **Lapithae**, ārum, *mpl.* テッサリアの種族。**succubuēre**/ērunt: succumbō, mbere, buī, bitum「屈服する」59 **ūtrēs:** ūter, tris, *m.*「革袋」**Polyphēme:** -us, ī, *m.* 一つ目の巨人。61 **Holōfernem:** ēs, is, *m.* アッシリアの猛将。64 **versa:** verrō, verrī, versum「引きずる」65 **indole:** -ēs, is, *f.*「才能」66 **pessum,** *adv.*, īre ～「滅びる」67 **crumēnam:** -a, ae, *f.*「財布」68 **conterit:** -erō, erere, rīvī, rītum「砕く」69 **Croesī:** -us, ī, *m.* リディアの王。**Crassī:** -us, ī, *m.* ローマの政治家。70 **dīlapidantur:** -ō, āre「浪費する」71 **obsita:** -us, a, um, *adj.*「覆われた」**egestās**, ātis, *f.*「貧窮」72 **Laverna**, ae, *f.* 利得の女神。74 **nummōs:** -us, ī, *m.*「金銭」

空の腹は、常にいつもの物で満たされ、常に楽しい日があることを欲す。腹は、安逸を愛し、満たされた食卓の杯を欲し、装飾、放蕩、贅沢を求める。リディアの［クロイソスの］豊穣またはクラッススの富裕がない限り、君はゆっくりと安逸に従うことはできない。怠惰な者たちに豊穣はないし、勤勉が豊穣を生むとすれば、怠惰は富を浪費する。

しかしながら、それ自体でも十分に強い飲みの欲望は、絶え間のない習慣により更に成長する。君は、これを決して無傷で放棄することができない。初心者の君は、一度味わったこれを決して置き去りにすることができない。

信じて欲しいが、悪い快楽の不誠実な食物を若い人の口で味わうのは良くない。一度味わったそれは、簡単には放棄できないからだ。犬は、太った毛皮からうまく追い払えない。

オデュッセウスは、辛うじて仲間をロトスから引き離したが、彼らはそれを唇の先で殆ど少しも触っていなかった。ロトスは、快楽の甘美で魅惑的な毒薬だ。それを味わえば、誰もそれを置き去りにすることができない。

その間に、家の管理や子供を連れた妻の要求するものの世話を誰もしないだろう。君が飲み、多数の杯を重ね、満たされた海綿となって自分の楽しみに耽る時に、妻は、哀

Semper enim venter^ solitīs vult° rēbus ^inānis
distendī, festōs^ semper habēre ^diēs.
Ōtia venter amat[I], vult° plēnae pōcula mēnsae,
dēliciās, luxum, lautitiāsque cupit[3i]. 780
Iam nisi dīvitiae Lȳdī, aut opulentia Crassī
adsit°, nōn poteris ōtia lenta sequī.
Dīvitiae ignāvīs sunt nullae; ignāvia, sī quās
sēdulitās peperit[3], pigra profundit[3] opēs.
Et tamen assiduā^ magis ^assuetūdine crēscit[3] 785
pōtandī per sē magna libīdŏ satis.
Hanc potes° illaesus numquam dēpōnere; numquam
hanc dēgustātam linquere, tīrŏ, potes°.
Nōn bene gustātur[I] tenerō, mihi crēde, palātō
ēsca voluptātis perfidiōsa malae, 790
quod semel haud facilis sit dēgustāta relictū.
Pellitur[3] ā pinguī^ nōn bene ^pelle canis.
Aegrē Ithacus potuit° sociōs āvellere lōtō,
quam modicē prīmīs vix tetigēre[3] labrīs,
dulce^ voluptātis lōtus blandumque ^venēnum, 795
quod dēgustātum linquere nēmŏ potest°.
Intereā nēmō quem cūra domestica, quemque
cum puerīs uxor sollicitāret[I], erit,
quae, dum tū pōtās[I], dum plūrima pōcula sorbēs[2],
dum geniō indulgēs[2], spongia plēna, tuō, 800

78 **distendī:** -dō, dere「満たす」85 **assuetūdine:** -ō, inis, *f.*「習慣」87 **illaesus**, a, um, *adj.*「無傷の」90 **ēsca**, ae, *f.*「食物」**perfidiōsa:** -us, a, um, *adj.*「不誠実な」93 **Ithacus**, ī, *m.* オデュッセウス。**avellere:** āvellō, ere, ī, ulsum「引き離す」00 **geniō:** -us, ī, *m.*「楽しみ」

れにも見捨てられた居間に裸で座り、空の竈の前で酷く飢えている。
またば、妻は泣きながら、（エゲスタス（貧窮）に強いられた通りに）貞淑を売り、美貌を売淫に供する。酷い欲望は、常にバッコス神の仲間なので、君もまた多分姦夫として他の愛人により燃える。このようして君は、神聖な信頼の誓約で結ばれた妻に、飢えて貞淑の床を汚させる。または、棍棒によって食べる妻は、粗末な食事を争いによって得ると、不本意な床を求める。

酩酊礼賛者への反駁

酩酊した者の群れよ、君たちの礼賛を歌ったしかめっ面の教師がわめいている。彼は、彼が礼賛したことを非難されたことを聞いて言う。
「これが、私の賛辞が得た対価か。私が礼賛した酩酊が君によって反駁されている。私が提出する数世紀の例も君には影響を与えない。このように多くの酒飲みの種族も君の心を変えなかった。生の酒の多くの有益さも君を説得しないのか。」
一方我れは、如何に多くの杯が有害であるかを証明することで、彼のつまらないものへ既に十分に反駁を加えた。しかし、彼が古い時代からの酒飲みを礼賛する時には、あ

nūda sedēns miserē dēsertā lūget[2] in aulā,
  ēsurit[4] et vacuum fortiter ante focum.
Sīve pudīcitiam vēndit[3] (sīc cōgit[3] Egestās),
  et fōrmam in quaestū flēbilis uxor habet[2].
Tū quoque forte aliō^ flagrās[I] tunc moechus ab ^igne, 805
  semper ut est Bacchō foeda^libīdŏ comes.
Sīc facis[3i] uxōrem lectī violāre pudīcī
  iēiūnam, sanctā^ foedera iuncta ^fidē,
aut illī pūgnīs dūrissima cēna parātur[I],
  et petit[3] ingrātum fūste cibāta torum. 810

Obstrepit[3] hīc contractā fronte magister,
  quī cecinit[3] laudēs, ēbria turba, tuās,
dum, quae laudāvit[I], culpārier audit[4], et inquit[0];
  “Hōc pretium laudēs prōmeruēre[3] meae!
Ēbrietās nōbīs laudāta refellitur[3] abs tē, 815
  nec tē, quae oppōnō[3], saecula multa movent[2],
nec tibi tot gentēs^ animum flexēre[3] ^bibōsae,
  nec tē persuādent[2] commoda tanta merī?”
Huius egô nūgās quamquam satis ante refellī[3],
  noxia dum quam sint pōcula multa probō[I], 820

01 **lūget**: lūgeō, gēre, xī, ctum「嘆く」03 **pudī-citiam**: -a, ae, *f*.「貞淑」04 **quaestū**: -us, ūs, *m*.「売淫」05 **moechus**, ī, *m*.「姦夫」**igne**: -is, is, *m*.「愛人」09 **pūgnīs**: -a, ae, *f*.「争い」または-us, ī, *m*.「握りこぶし」11 **obstrepit**: -ō, ere, uī, itum「わめく」**magister** ここにChristoph Hegendorfer, *Dēclamatiō in laudem Ēbrietātis*, 1526. への反駁を第二版で挿入した。13 **culpārier** = culpārī: culpō, āre「非難する」14 **prōmeruēre/ērunt**: -mereō, ēre, uī, itum「得る」15 **refellitur**: -ō, ere, ī「反駁する」

たかも古く尊い時代自体が悪徳に品格を与えたかのようだ。この考えによれば、彼は恥ずべき姦夫、醜いポン引き、娼婦、すべての追い剥ぎを称賛することができる。この方法によって、彼は任意の非道を称賛するだろう。即ち、不誠実、欺瞞、略奪、偽証、殺人、許されない愛欲、不倫、毒殺などだ。

しかし、古代にはこれらの悪徳が氾濫しており、酩酊や泥酔の悪徳だけではなかった。読者よ、多くの年を経た悪徳が、今日、君が邪悪であると見るものより少ない悪徳とされることはなく、人々の多さは酩酊の悪徳を軽くしない。騙されたロトでも家長ノアでも同じだ。

何故ならば、多勢とともであれ、聖人たちとであれ、酩酊して罪を犯す者は、もともと避けるべき罪を重くするからだ。多勢であることは罪の弁解にならないし、悪徳が通俗的であったとしても、罪を除去しない。

「酩酊は、心配を宥めるために有用だし、悲嘆を心から取り除く。」と彼は言う。これは、我れも確かに肯定する。心が酒に圧迫された時に、飲んでいれば心配のどんな傷も感じない。

しかし、抑制のない酒の杯を消化し、十分に眠って心が生の酒からしらふに戻ると直

cum tamen antīquīs vīnōsōs laudet[I] ab annīs,
ceu facerent[3i] vitiīs tempora prīsca decus.
Hāc ratiōne potest[0] moechōs laudāre pudendōs,
hāc turpēs lēnās, hāc ratiōne lupās,
hāc ratiōne potest[0] quōvīs laudāre latrōnēs. 825
Hōc pactō laudet[I] quōlibet ille nefās:
perfidiam, fraudem, raptum, periūria, caedēs,
illicitam Venerem, fūrta, venēficium.
Affluit[3] hīs etenim vitiīs annōsa^vetustās,
ēbria nōn tantum, nec tĕmulenta fuit. 830
Nōn minus est vitium, multīs quod, lector, ab annīs
est factum[3i], quam quae nunc vitiōsa vidēs[2].
Cōpia nec populī vitium levat[I] ēbrietātis,
nec Lōt dēceptus, nec patriarcha Nŏē.
Nam quī cum multīs aut sanctīs ēbrius errat[I], 835
aggravat[I] errōrem quī fugiendus erat.
Nīl etiam excūsat[I] peccātum cōpia, noxam
nec pūrgat[I] vitium quod^populāre fuit.
"Ēbrietās cūrīs mulcendīs ūtilis," inquit[0],
"tollitur[3] êt animīs ēbrietāte dolor." 840
Hōc facile affirmō[I]; dum mēns^ est ^obruta[3] vīnō,
cūrārum sentit[4] vulnera nulla madēns;
ast ubi iam indomitī concoxit[3] pōcula vīnī,
et iam ēdormīvit[4] sōbria facta merum,

27 **perfidiam:** -a, ae, *f.*「不誠実」**periūria:** -um, ī, *n.*「偽証」29 **affluit:** - ō, ere, xī, xum「氾濫する」34 **Lōt,** *m.* indecl. ロトは酩酊して愛娘たちに同衾された（創世記 19 章）**Nōē,** *m.* indecl. ノアは酩酊して裸身を晒した（創世記 9 章）36 **aggravat:** -ō, āre「重くする」43 **ast** = at.

ちに、その場で無数のより大きな心配が戻って来て、それが硬い歯で心を貪り食う。明らかに、金を浪費した財布を携えなければならず、また常に馴れた生の酒の側にいることも許されない。債権者は取り立てに来る。子供たちは飢え、妻も飢えている。パン屋は金をせがみ、肉屋も金をせがむ。君は、彼が心配をなくすために常に飲まなければならないと思うのか。それは、君が阿保な愚昧を言っているということだ。

バッコス酒は、本当に卓越した友達を作り、生の酒で満ちた杯がある限りその友達は続く。古くからあるという格言が言うように、

「鍋が煮え立つ間は、友情が存続する。」

ああ、良き人よ、その人の信頼を全く恐れる必要がない友達は、酒ではなく道義によって獲得される。達人である我れを信じて欲しいが、酒飲みたちの信頼ははかなく、大酒飲みたちの友情は常にガラス製であることを君は見るだろう。これがあの教師の本に関する瑣事だった。その他は応える価値があまりないことにしよう。

仮に当事者が弁護人キケロ、判事バッコス神でない限り、酩酊は良き人の［裁判に勝つための］十分な理由にはならない。酩酊に随伴しているのは、放浪する心、あまり褒められない生活、生意気な口、無分別な心、滑る舌、天上への軽蔑、良いことへの悪い不安、

īlicŏ māiōrēs et plūs quam mille recursant[1] 845
cūrae, quae dūrō^ pectora ^dente vorant[1].
Nempe quod effūsō^ gestanda sit ^aere crumēna,
nec liceat[2] solitō semper adesse merō,
crēditor hīc urget[2], puer ēsurit[4], ēsurit[4] uxor,
flāgitat[1] aes pistor, flāgitat[1] aes lanius; 850
ut careat[2] cūrīs, semper rēre esse bibendum?
Hōc est tē stolidam dīcere stultitiam.
Ēgregiōs vērō iungit[3] Lenaeus amīcōs,
quī dūrant[1] dum sunt pōcula plēna merō;
et quod prīsca sonant[1] quondam prōverbia dicta, 855
dum fervent[2] ollae, vīvit[3] amīcitia.
Heus, bone, nōn vīnō virtūte parantur[1] amīcī,
quōrum nōn umquam sit metuenda fidēs.
Fluxa fidēs bibulīs, expertō crēde[3], vidēbis[2]
lurcōnum vitream semper amīcitiam. 860
Ista^ magistrālis fuerat ^farrāgŏ libellī;
cētera respōnsō nōn bene digna premam[3].
Nullius* ēbrietās (nōn sī Cicerōne patrōnō
sit rea sub Bacchō iūdice) causa *bonī est.
Quam vaga^mēns, et vīta parum comitātur[1]
honesta, 865

45 **īlicō**, *adv*.「その場で」47 **nempe**, *adv*.「明らかに」**crumēna**, ae, *f*.「財布」50 **flāgitat**: -ō, āre「せがむ」**pistor**, ōris, *m*.「パン屋」**lanius**, ī, *m*.「肉屋」51 **rēre** = rēris: reor, ērī「思う」55 **prōverbia**: -um, ī, *n*.「格言」Fervet olla, amīcitia vīvit. 56 **ollae**: -a, ae, *f*.「鍋」61 **farrāgō**, inis, *f*.「瑣事」63 **patrōnō**: -us, ī, *m*.「弁護人」64 **rea**, ae, *f*.「当事者」**iūdice**: -ex, icis. *c*.「判事」65 **vaga**: -us, a, um, *adj*.「放浪する」

名声の喪失、財産の酷い濫用、すべての悪事を容易に行う性向、常にすべての悪徳に走る足、などだ。

節制のすすめ

酩酊がこのように醜く有害な快楽であり、そこから疫病と悲しい不幸が酒飲みにもたらされるのに、若者たちが酩酊によって精神の贈り物を壊すことの何が嬉しいのか。真面目に聞くが、酩酊により体を酷く失うことの何が嬉しいのか。酩酊により多感な青春の花を滅ぼすことの何が嬉しいのか。その花は、それ自体でも十分に不健康で、儚く、短いのだ。

洗練された青年よ、このような時代に生活を正せば、より良く君は自分の利益に意を用いる。研究に没頭して、教えられた諸本をひも解くように。言語の高貴な優美を自らのものとするように。それは、我々の地方を飾る［花や果実を］満載したコルヌコピア（豊穣の角）から、ギリシアのムーサ女神が君に注ぎ込む。

これらの賢い世紀は、君がどんなに堕落していようと、君を質素な食事に呼び戻すことができる。ムーサ女神自身が、その詩的霊感によって花開く。既に君は、世界の至る

ōs petulāns, animus^, lūbrica lingua, ^levis,
contemptus superum, rērum mala cūra bonārum,
perditiō fāmae, turpis abūsus opum;
ad mala prōclīvis prōpēnsiŏ quaeque patrandī,
vēlōcēs vitium^ semper in ^omne pedēs. 870

Ergŏ, Methē cum sit tam foeda nocēnsque voluptās,
unde venit[4] bibulīs pestis et atra^luēs,
quid iuvat[1] hāc iuvenēs animī corrumpere dōtēs?
Quid iuvat[1] hāc corpus perdere, quaesŏ[3], male?
Quid iuvat[1] hāc flōrem tenerae exstinxisse
iuventae, 875
quae per sē satis est aegra, cadūca, brevis?
Quīn ēmendātā, tālī^ iam ^tempore, vītā
cōnsulis[3] ō melius, culta iuventa, tibi.
Incumbēns studiīs doctōs ēvolve[3] libellōs,
et tibi linguārum nōbile^ iunge[3] ^decus, 880
quās tibi iam plēnō suffundit[3] cōpia cornū,
quae decorat[1] nostrās Attica Mūsa plagās.
Ista ad frūgālem^ tam saecula docta ^diaetam
quamvīs corruptum tē revocāre queant[4].
Flōret[2] enim nunc ipsa suīs iam Mūsa Camēnīs; 885

66 **petulāns**, antis, *adj*.「生意気な」69 **prōclīvis**, e, *adj*.「容易な」**prōpēnsiō**, ōnis, *f*.「性向」**patrandī**: patrō, āre「行う」77 **ēmendātā**: ēmendō, āre「正す」78 **cōnsulis**: -ō, ere: sibi cōnsulere 自分の利益に意を用いる。81 **cornu cōpia**「豊穣の角」ヤギの角の中に果物等を盛った形で描かれる豊穣の象徴。82 **plagās**: -a, ae, *f*.「地方」83 **diaetam**: -a, ae, *f*.「食事」85 **Camēnīs**: -ae, ārum, *fpl*. 詩的霊感を持つというローマの神聖な泉のニンフたち。

ところで著名な男たちを見分けている。善行に従うために、彼らを君の仲間とするように。醜い人々と醜い杯を取ることに注意するように。何故ならば、焼かれて灰となった後に、皿と酒の跡からは、賢い人々の人口に膾炙するような人は、誰も出現しないだろうからだ。

最後に、あたかも果実が何もないかのように、または時間と金を浪費して、家で疑いながら心配している両親を粗雑に騙すかのように、君は貴重な時間である許し与えられた年月を無造作に過ごしたくはないだろう。

君は、火に火を加え、炎に炎を加えたくはないだろう。しらふの清水は、抑制のない生の酒を正しく混和するかもしれない。この飲み方は、雷に打たれた母親から生まれたバッコス神の起源によって示されている。火のバッコス神は、飲む者の胸を焼き焦がす炎を投げ、生の酒の中に純粋な熱火を絶えず入れる。もし君が熱されてこれに焼かれることを望まないならば、冷たい水が煮える酒壺を洗い流してくれるだろう。

ニンフたちは、火を吐く雷で燃えているバッコス神を透明な水で救った。（彼は、火で死んだところだった。）それ以来、バッコス神はニンフたちとの結合が気に入っている。これに従わない限り、君が飲むのは火だろう。

iam passim celebrēs^ cernis[3] in orbe ^virōs.
Hōs ad honestātem comitēs tibi sūme[3] sequendam;
pōcula cum foedīs sūmere foeda cavē[2].
Nullus enim patinīs aut vīnō ēmerget[3], ut ūstōs
post cinerēs volitet[I] docta per ōra virum. 890
Dēnique concessōs pretiōsī^temporis annōs
trānsigere haud temerē sīc sine frūge velīs[o],
atque domī trepidōs^ suspēnsā mente ^parentēs,
fallās[3] absumptō tempore et aere rudis.
Nē velĭs[o] ignem ignī, nec flammīs addere flammās; 895
temperet[I] indomitum sōbria lympha merum;
haec via pōtandī mōnstrātur[I] orīgine Bacchī*
fulmine combustā^ dē ^genitrīce *satī.
Igneus ūrentēs^ iacit[3i] in praecordia ^flammās,
atque merō usque merās^ ingerit[3] ille ^facēs. 900
Hīs sī nōluerīs[o] et tū calefactus adūrī,
frīgida ferventēs^ alluat[3] unda ^cadōs.
Ignivomō^ Bacchum flagrantem ^fulmine nymphae
servārunt[I] liquidīs (igne perisset[4]) aquīs.
Ex hōc nymphārum Bacchō coniūnctiŏ grāta est; 905
hanc nisi sectēris[Id], quod bibis[3] ignis erit.

89 **patinīs:** -a, ae, *f.*「皿」**ūstōs:** ūrō, rere, ssī, stum「焼く」90 **cinerēs:** cinis, eris, *m.*「灰」**volitet:** volitō, āre「飛び回る」92 **frūge:** frūx, ūgis, *f.*「果実」96 **temperet:** -ō, āre「正しく混和する」01 **adūrī:** - rō, rere, ssī, stum「焼く」02 **alluat:** alluō, ere, ī「洗う」03 **ignivomō:** -us, a, um, *adj.*「火を吐く」**flagrantem:** flagrō, āre「燃える」04 **perisset:** pereō, īre, iī, itum「死ぬ」

巻三

無敵の戦列

LIBER TERTIUS

無敵の戦列への参加

これまで我れは、尊敬すべき生活には質素な杯を、君の称賛にはしらふの生活を指定した。最も恥ずべき怪物である醜い大酒飲みたちと、破壊的な酩酊の数知れない諸悪もそれに加えた。

バッコス神よ、神が歌に力を与えるならば、大きく流れる生の酒によって決着させるべき神の戦闘と無敵の戦列を歌い、抑制のない酒壺によって如何に弱められても、沈められることを知らない心意気を歌おう。

父よ、頭をこちらに向け給え。静かに角の向きを変え、我が才能に順風の帆を与え給え。先ず、喉の渇いた詩歌の女神に高貴な酒を与え給え。飲めば、幾千の歌がより良く流れるだろう。

未熟な初心者よ、武器を手に持ち、勇敢に男らしい心で戦闘に向かい、我が指揮のもとで合戦を担うように。頭には、兜の代りに柔らかな花冠を置き、髪が香り高い水の雫で滴るように。酒壺は胸甲に、巨大な酒差し器は盾に、ガラスの酒杯は硬い剣の代りにするように。酒汲み器を投石器の代りに、細長いティルソスを槍の代りに執るように。乾いた酒瓶はラッパの役割を担うだろう。軍神の兵士は、ウルカヌスの武器を調達する

Hāctenus ōrnātae frūgālia pōcula vītae
dīximus[3], et laudēs sōbria vīta tuās.
Addidimus[3] foedōs^ turpissima mōnstra ^bibōnēs
et mala damnōsae^ nōn numeranda ^Methēs.
Nunc tua*, Bacche, canam[3], modo dēs[o] in carmina vīrēs, 5
*proelia largifluō perficienda merō,
invictāsque^aciēs, et pectora nescia mergī
quamlibet immodicīs dēbilitāta cadīs.
Mitte[3], pater, caput hūc, plācātaque cornua vertās[3],
et dēs[o] ingeniō vēla secunda meō. 10
Dā[o] generōsa prius sitibundīs vīna Camēnīs,
post pōtum melius carmina mille fluent[3].
Arma manū capiās[3i] animīsque^virīlibus audāx
pugnae, tīrŏ^rudis, mē^duce bella subī[o].
Prō galeā capitī mollēs^ impōne[3] ^corōnās, 15
stillet[1] odōrātae rōre capillus aquae.
Amphora sit thōrāx, clipeus sit vasta^capēdō,
sit tibi prō rigidō^ vītreus ^ēnse calix.
Prō fundā cyathum, gracilēs^ prō cuspide ^thyrsōs
sūme[3], tubae subeat[o] sicca lagoena vicem. 20

1 **hāctenus**, *adv*.「これまで」**ōrnātae**: -us, a, um, *adj*.「尊敬すべき」4 **damnōsae**: -us, a, um, *adj*.「破壊的な」6 **largifluō**: -us, a, um, *adj*.「大きく流れる」11 **generōsa**: -us, a, um, *adj*.「高貴な」14 **subī**: subeō, īre, īvī, itum「担う」15 **galeā**: -a, ae, *f*.「兜」16 **stillet**: -ō, āre「したたらす」**rōre**: rōs, is, *m*.「雫」17 **thōrāx**, ācis, *m*.「胸甲」**clipeus**, ī, *m*.「盾」18 **ēnse**: is, is, *m*.「剣」19 **fundā**: -a, ae, *f*.「投石器」**gracilēs**: -is, e, *adj*.「細長い」20 **tubae**: -a, ae, *f*.「ラッパ」**lagoena**, ae, *f*.「酒瓶」

だろう。このような武器は、バッコス神の軍隊に相応しい。
　このように、酒の試合に参加し、生の酒を滴らせて有名な記念品を持ち帰るのは、誠に楽しいものだ。バッコス神は、他の如何なる武器にもよらずに、オリエントとインドを制し、すべての王国を治めるのだ。
　それ故に、力と決意をその胸に秘める者は、もし彼が酒好きで十分な熱望を持っているならば、参加して勤勉な手で杯を挙げるように。戦闘の勝者には相応しい特典が待っている。
　このような試合場で、飲んで敗退することを望まない人は、誰も我れと汗をかきたくないだろう。信じて欲しいが、我れは誰からも逃げない。例えそれが、両者とも皇帝であった、あのボノスムやフィルムスであってもだ。
　もし誰かが寛大にも我れを宴会や生の酒に迎え入れたならば、我れは多くの杯を殺すだろう。もし誰かがこのような戦いに大酒飲みの我れを呼ぶならば、何という酒の殺戮、何という損失を君は見ることができるのか。
　もし神が我れを怒らすならば（三度崇めるべき父よ、我れを助け給え）、我れはバッコス神を試合に求めよう。好戦的な我れは、酒飲みのコモス神に敢えて対抗する。我れ

Māvortis mīles Vulcānia comparet[1] arma,
 Bacchī mīlitiam tālia tēla decent[2].
Sīc libet[2] atque iuvat[1] vīnī certāmen inīre
 clāraque suffūsō ferre tropaea merō.
Nōn aliīs tēlīs Orientem vīcit[3] et Indōs 25
 Bacchus nōn aliīs omnia rēgna domat[1].
Ergō cui est virtūs, animusque in pectore praesēns,
 sī quem vīna iuvant[1], et sitis ārdor habet[2],
adsit[o], et impigrīs attollat[3] pōcula palmīs,
 victōrem pugnae praemia digna manent[2]. 30
Nēmŏ velit[o] mēcum tālī^ sūdāre ^palaestrā,
 quī nōn āctūtum pōtus abīre cupit[3i].
Nec quemquam fugiō[3i], nōn ipsum, crēde[3], Bonōsum,
 nōn Firmum; quamvīs Caesar uterque fuit.
Sī quis nōs saltem dapibusque merōque benīgnē 35
 acciperet[3], lētō pōcula multa darem[o].
Quās strāgēs vīnī quam possīs[o] cernere clādem,
 tālia nōs bibulōs sī quis ad arma vocet[1]?
Sī mē irrītārit[1], etiam in certāmina Bacchum,
 (parce[3], pater^, nōbīs, ter ^venerande) petam[3]. 40
Audeŏ[2] vīnōsō pugnāx contendere Cōmō,
 nōn superōs timeō[2], nōn hominēs timeō[2].

28 **ārdor**, ōris, *m*.「熱望」29 **impigrīs**: -ger, gra, grum,, *adj*.「勤勉な」**attollat**: -ō, ere「挙げる」33 **Bonōsum**: -us, ī, *m*. 3 世紀ローマの簒奪者。34 **Firmum**: -us, ī, *m*. 4 世紀ローマの簒奪者。両者とも酒に強いことで有名。37 **strāgēs**, is, *f*.「殺戮」**clādem**: -ēs, is, *f*.「損害」39 **irrītārit** = irrītāverit: irrītō, āre「怒らす」接続法完了。41 **Cōmō**: -us, ī, *m*. 宴楽の神コモス。

は天を恐れず、人を恐れない。もし君が知らないなら、我れはパルティア全土が酒の勝利のシュロを与えた、かの有名なピロイヌス（愛飲家）だ。ミラノの永遠の名誉と装飾である、あのトリコンギウス・ノウェルス［・トルクワッス］も我れには退く。メテ（酩酊）さえもその飲んだ彼から驚いて恐れ逃げたが、［バッコス神の養父］シレヌス、バッコス神の巫女たち、サテュロスたちはその彼を愛したという。［訳注・トルクワッスはローマ時代ミラノの大酒飲み。一気にトリコンギウス（五升）飲んだという。］

故に、もし誰かが誰でも飲みで負かしたいならば、我れを教師として、飲みの技法を学ぶように。我れこそは、アキレウスの指導役ポイニクス、バッコス酒の教師である。我れ以前には、誰もこの技法の力を述説していない。

ここで多分君は言っただろう。

「酒飲みの先生、何をするのですか。何故先生のムーサ女神は、以前の仕事を取り消すのですか。何故今、言葉を翻して先生は、敬虔な節制により崇められるように命じられた教義を撤回するのですか。これらの矛盾した言葉は、正気のムーサ女神のものではありません。沢山の生の酒により重くなった舌がよろめいています。節制されたムーサ女神は常に不変で、決して調子の外れた声で不調和の詩歌を歌うことはありません。先生

Sī nescīs[4], ego sum memorābilis ille Philoenus,
cui vīnī palmam Parthia tōta dedit[0].
Nōbīs cēdit[3] et ipse Tricongius ille Novellus, 45
perpetua Īnsŭbriae fāma decusque suae,
quem^ stupet[2] ipsa^Methē fugiēnsque timēnsque ^bibentem,
quem Sīlēnus amat[1], Maenadĕs et satyrī.
Artem igitur discat[3] mē^praeceptōre bibendī,
sī quis pōtandō vincere quōsque cupit[3i]. 50
Pēlīdae Phoenīx, ego sum praeceptor Iacchī;
hanc nullus prae mē trādidit[3] artis opem.
Dīxeris[3] hīc forsan, "Quid agis[3], vīnōse magister?
Cūr tua praeteritum Mūsa retexit[3] opus?
Cūr tua nunc versīs revocat[1] palinōdia verbīs 55
dogmata iussa piā sōbrietāte colī?
Nōn sunt haec^ sānae pugnantia ^dicta Camēnae,
sīc titubat[1] largō lingua gravāta merō.
Sōbria perpetuō cōnstat[1] sibi Mūsa, nec unquam
dissona discordī^ carmina ^vōce canit[3]. 60
Laudās[1] astrictae frūgālia pōcula mēnsae,

43 **Philoenus**, ī, *m*. 愛飲家の称号。44 **palmam**: -a, ae, *f*.「シュロ」**Parthia**, ae, *f*. カスピ海南東の古国。46 **Īnsūbriae**: -a, ae, *f*. ミラノ周辺の国。48 **Sīlēnus**, ī, *m*. バッコス神の養父。49 **praeceptōre**: -or, ōris, *m*.「教師」51 **Phoenīx**, īcis, *m*. アキレウスの指導役。54 **praeteritum**: -us, a, um, *adj*.「以前の」**retexit**: retexō, ere, uī, tum「取消す」55 **palinōdia**, ae, *f*.「取消し」56 **dogmata**: dogma, atis, *n*.「教義」60 **dissona**: -us, a, um, *adj*.「不調和の」**discordī**: discors, cordis, *adj*.「不一致の」61 **astrictae**: -us, a, um, *adj*.「簡素な」

は、簡素な食卓の質素な杯を礼賛し、節制に据えられた生活を教えます。今、先生は、『我れは酒の試合に参加するのに困っている。飲んで帰ることを目指して、直ちに来るように。』と言います。先生は、他人の誰にでも自慢声で挑み、自分にかなう者はいないと考えています。もしすべての自慢が醜いとされるならば、高慢なトラソさん、先生は今どの顔をして自慢しているのですか。」

我れは以前に書いた掟を無造作に撤回しないし、我がムーサ女神も以前の仕事を取り消さない。誰でも知っている技法は自慢するだろうし、誰でも自身のよく知る技法は楽しむべきだ。

フォルム・ロマヌムの最高の誉れであった弁護士キケロは、演説の力について正当に傲慢だった。薬剤は、ピポクラトスの頭を正当に高く持ち上げ、彼は技法により偽りの称賛を自身に要求しなかった。格別のアペレスの洗練された手が他の多くの者を打ち負かした時に、何故彼が自慢しなかったことがあろうか。地は如何に耕されるべきかを教えた詩人ヘシオドスは、至当の技法をもって自身を称賛した。法規に熟達した弁護士は、自分の技法について尊大だ。詩人オウィディウスは、自身の技法を楽しんだ。

et vītam īnstituī sōbrietāte docēs[2].
Nunc inquis[o], 'Vīnī certāmen inīre labōrō[1],
āctūtum veniat[4] pōtus abīre volēns.'
Quemlibet ultrō etiam iactantī^vōce lacessis[3], 65
atque parem cēnsēs[2] nōn tibi posse darī.
Quod sī cuncta suī iactantia turpis habētur[2],
quā^ nunc tē iactās[1] ^fronte, superbe Thrasō?"
Nōn ego scripta prius temerē praecepta recantō[1],
nec mea praeteritum^ Mūsa retexit[3] ^opus. 70
Quam nōrit[3] quīvīs illā sē iactet[1] in arte,
quisque sibī placeat[2] doctus in arte suā.
Iūre superbīvit[4] fandī virtūte patrōnus^
Arpīnās, Latiī glōria summa forī.
Hippocratī iūstās tollunt[3] medicāmina cristās, 75
nec falsam laudem vindicat[1] arte sibi.
Cūr nōn eximius sēmet iactāret[1] Apellēs,
cum plūrēs doctā vīcerit[3] ipse manū?
Ascraeus^vātēs meritā sē praedicat[1] arte,
quā docuit[2] quō sint rūra colenda modō. 80
Arte^suā turget[2] iūris lēgumque perītus,
Arte^suā placuit[2] Nāsŏ^poēta sibi.

62 **īnstituī:** -ō, uere, uī, ūtum「据える」64 **āctūtum**, *adv*.「直ちに」65 **lacessis:** -ō, ere, īvī, ītum「挑む」71 **nōrit** = nōverit. 73 **iūre**, *adv*.「正当に」**superbīvit:** superbiō īre「傲慢である」74 **Arpīnās**, ātis, *m*. アルピヌム人のキケロ。75 **cristās**, -a, ae, *f*.「鶏冠」ここでは頭。76 **vindicat:** -ō, āre「要求する」77 **eximius**, a, um, *adj*.「格別の」**Apellēs**, is, *m*. ギリシアの画家、2.79 参照。79 **Ascraeus**, a, um, *adj*. ヘシオドスの。Hēsiodus, ī, *m*. は前9世紀のギリシアの詩人、Ascra生まれ。82 **Nāsō** = Ovidius.

故に、もし我れが得意とする我が技法を誇ったならば、我れは本当に我が名誉に関する法螺吹きの自慢屋であっただろうか。どのような法によって、一般の法が我れには否定されるのか。他人にそれが許されたなら、何故我れに許されにくいことがあるのか。君が信奉者として狂気のメテ（酩酊）の法によって承認されるように、我れは君が質素な生活を放棄することを命じていない。君は、最善の考え方と我が心に思われたものを聞いた。それを心と口に適正に止めるように。即ち、体が要求する以上に決して飲まず、質素に節制に注意するということだ。

さて、もし誰かが欲していない君に杯を強いたならば、君はどうするだろうか。この強制は、今は懇願で、今は金銭で、恐ろしい脅しで、加えてしばしば乱暴な剣で（それが酒飲みのケンタウロスたちの習慣だ）、へつらった言葉で、なされるのだ。このような人々とは、君はむしろ剣で対抗する方を選ぶし、君には切り傷の方が神酒よりも好ましいだろう。

少々奔放に杯を挙げる、高貴な人々の間で君が食事をするたびごとに、君はどうするだろうか。君は、このような人々に愛想のよい恭順さで尽くすことを否定するだろうか。それは、非人間的な心の仕事となっただろう。

Ergŏ meī^ fuerō vānus^iactātor ^honōris,
  sī illā quā valeō[2], glōrior[Id] arte^meā?
Quōnam^iūre mihī commūnia iūra negentur[1]? 85
  Hōc aliīs licuit[2], cūr minus ergŏ mihi?
Nōn ego tē iubeō[2] frūgālem^ pōnere ^vītam,
  cultor ut īnsānae^ iūre probēre[I] ^Methēs.
Optima quae vīsa[2] est nostrae^ sententia ^mentī
  audistī[4], hanc animō, hanc mordicus ōre tenē[2]: 90
numquam plūra bibās[3] quam corporis exigit[3] ūsus,
  et frūgī cūram sōbrietātis habē[2].
Sed quid agēs[3], sī quis nōlentem ad pōcula cōget[3]
  nunc prece, nunc pretiō, terrificīsque minīs,
crēbrō etiam gladiīs* (quō nunc sunt mōre bibācēs 95
  Centaurī) *trucibus blandiloquīsque logīs?
Cum tālī potius mālīs[0] contendere ferrō,
  grātius atque tibī nectare vulnus erit.
Quid faciēs[3i], quotiēs inter cēnābis[I] honestōs,
  pōcula quī paulō līberiōra bibunt[3]? 100
Tālibus obsequiō^facilī servīre negābis[I]?
  Esset inhūmānī^pectoris illud opus.
Saepe propīnantum pretiō nōmenque decusque

88 **probēre** = probēris: -ō, āre「承認する」接続法現在受動。91 **exigit:** exigō, igere, ēgī, āctum「要求する」92 **frūgī,** *adj.* indecl.= frūgālis, e.「質素な」94 **prece:** prex, ecis, *f.*「懇願」**minīs:** minae, ārum, *fpl.*「脅し」96 **blandiloquīs:** -us, a, um, *adj.*「へつらった」**logīs:** logos, ī, *m.*「言葉」01 **obsequiō:** -um, ī, *n.*「恭順」03 **propīnantum:** propīnāns, antis, *m.*「乾杯者」

しばしば乾杯者たちの名声と評価は、酒を断るのが相応しいとする価値よりも大きいだろう。君の役に立つことも、傷つけることも同様にできる彼らを、君は敵に定めたくないだろう。しかし彼らが、ウシやラクダが彼の飲みの限界を超えないと言うことに、君は動じないように。実際、本性に従い、理性を欠く形で、ウシは正しく、ラクダは見事に行動している。もしウシが教え込まれたならば、すぐに高貴な人に匹敵する働きをしただろうし、のろまな子ロバも同様だっただろう。しかし彼らは、飲みの刺激物である酒を飲んでいない。真水ならば誰がすぐに飽和しないというのか。

また、酒宴で新来の集団が第一級の酒壺で、賓客の中で嫌がる者にしばしば挑戦するのを何度見たというのか。

君が遠方の地に賓客として飛ばされるたびごとに、君が外の場所に送られて訪問するたびごとに、我らはしばしば意に反して飲むことを場合により命じられ、これらの幾多のことを意に反して耐えることを強いられる。すべての食卓で酒が競われ、すべての場所であまねく酒が多くの争いを起こす。

一体どの夕食が、どの昼食がこのような戦いを欠くのか。敢えて聞くが、どの食卓が酒の節制を欠くのか。今ではすべての宿が余分な飲み物に沸き立ち、全員が酒の流れる

māius erit quam, quod spernere vīna decet[2].
Nē cupiās[3i] illōs inimīcōs sūmere, iuxtā 105
quī prōdesse tibī, quīque nocēre queunt[3],
sed nec tē moveat[2], quod vaccās atque camēlōs
dīcunt[3] pōtandī nōn superāre modum.
Rēctē equidem vaccae faciunt[3i], bellēque camēlī,
ut fert[0] ingenium, nam ratiōne carent[2]. 110
Quā sī imbūta foret, mox responderet[2] honestō
vacca virō, faceret[3i] tardus asellus idem.
Sed nec vīna bibunt[3] irrītāmenta bibendī,
quis (dic[3]) nōn liquidā mox satiātur[1] aquā?
Dic[3] quot in hospitiīs invītum saepe lacessunt[3] 115
convīvae prīmīs advena turba cadīs?
Longinquīs quotiēs hospes iactāris[1] in ōrīs,
extera seu quotiēs ad loca missus adīs[0],
saepius invītī cāsū pōtāre iubēmur[2]:
cōgimur[3] invītī quālia multa patī. 120
Omnibus in mēnsīs vīnō certātur[1d], et omnī
vīna locō passim proelia multa movent[2].
Quaenam cēna caret[2] tālī^, quae prandia ^pugnā?
sorbitiōne merī quae (rogŏ[1]) mēnsa caret[2]?
Cuncta supervacuō^ nunc dīversōria ^pōtū 125
fervent[2], vītifluō^flūmine cuncta madent[2].

05 **iuxtā**, *adv.*「同様に」 11 **imbūta:** imbuō, uere, uī, ūtum「教え込む」 13 **irrītāmenta:** -um. ī, *n.*「刺激物」 17 **longinquīs:** -us, a, um, *adj.*「遠隔の」 **ōrīs:** ōra, ae, *f*,「地方」 21 **certātur:** certor, arī, ātus「競う」 25 **supervacuō:** -us, a, ,um, *adj.*「余分な」 **dīversōria:** -um, ī, *n*,「宿屋」

川に浸っている。多くの世紀の中でどれでも、より酒飲みの時代はなかった。今もし君が節制することができれば、偉大になれる。

友人たちの一人が、君に酒酌み器で乾杯し、次の飲み手が君との知己を求める。第三の者が、「さあ、君は最初のグラスを断ることはできない。それは無礼だろう。気持ちよく取れ。」と言う。第四の者も同じことを言う。第五の者も、君が如何にも拒否することができない理由を挙げる。君が返杯して、これらの杯を恭しく尊重しない限り、君は非難されても当然であるかのように思えただろう。

そしてこれは、単に正当な戦いの前奏に過ぎない。そこには如何にしてか飲む干すべき酒があるだろう。

先ほどの第一の者が、逆の順番で再び飲んでいる。（有り難い古い賽がこの厚遇を生んだ。）より良く知己を深めたい第二の者は、ここでしばしば君に酒杯で乾杯する。明らかに、野蛮な顔つきで続く者たちも、拒絶されることを許さないが、どんな理由でか聞きたいものだ。

鎖の首飾りを付けた誰かが、同じ食卓のそばに横たわる。彼の指には多数の光る宝石が輝いていて、頭は剃り上げられ、上衣は破れ、傷跡が多く、ヤギ髭の顔は不機嫌だ。

Nulla fuit multīs saeclīs vīnōsior aetās;
　magna potes[o], sī nunc sōbrius esse potes[o].
Alter amīcitiae cyathum tibi praebibit[3], alter
　nōtitiam tēcum pōtor inīre cupit[3i], 130
tertius, “Heus, prīmum poteris[o] haud spernere vitrum;
　īncīvīle foret, carpe[3] libenter,” ait[o].
Quartus idem loquitur[3d], causam* quoque quintus
　　habēbit[2],
　*quae tibi stat[1] nullō rēicienda modō.
Hōs nisi pōcla ferēns contrā reverenter honestēs[1], 135
　probrō cēnsērēs[2] id tibi iūre darī.
Atque haec sunt iūstae tantum praelūdia pugnae,
　essent haec aliquō vīna ferenda modō.
Ecce bibēns iterum versō^ redit[o] ^ōrdine prīmus
　(hospitii hōc veteris tessera grāta facit[3i]). 140
Nōtitiam melius vult[o] cōnfirmāre secundus,
　hinc crēbrōs calicēs praebibit[3] ille tibi.
Scīlicet haud dūrā^ patientur[3id] ^fronte sequentēs
　sē spernī, quānam dic[3] ratiōne, precor[1d]?
Accumbit[3] mēnsae^ quīdam torquātus ^eīdem, 145
　multa cuĭ in digitīs lūcida gemma micat[1],
cui caput est rāsum, vestis dissecta, cicātrix^

29 **praebibit**: -ō, ere, ī 健康を祝して飲む。34 **rēicienda**: rēiciō, icere, iēcī, iectum「拒否する」35 **honestēs**: -ō, āre「尊敬する」36 **probrum**, ī, *n*.「非難」37 **praelūdia**: -um, ī, *n*,「前奏」39 **versō**: vertō, tere, tī, sum「逆に向ける」45 **accumbit**: -mbō, mbere, buī, bitum「そばに横たわる」**torquātus**, a, um, *adj*.「鎖の首飾りを付けた」47 **cicātrix**, icis, *f*.「傷跡」

もし君にその意気地があるならば、与えられた酒を拒絶するように。彼は断られた杯を君の頭に打ち付けるだろう。もし君が繰り返し返杯すれば、その勤勉さが彼を触発するだろう。哀れにも君は既に［危険な］オオカミを耳だけで抑えているようなものだ。

公共の建物が君を残りの者たちと共に温かく迎える時に、君は他の者たちを避け、一人で食事をしたいのか。一人で食事をするのはより費用がかかるし、単独大食漢の君は誰にでも常により厄介な賓客となるだろう。

故に、君がこのような争いにおいても屈服しないように、君は格別の技法が必要だと考えないか。もし未熟な君が、無差別にすべての杯を飲んでもしらふの心を保てれば、君は強いといえるだろう。これを君に説述する人が教師ではなかろうか。または、その人は空しい技法の阿保な力を吹聴しているのか。

多くの人々はこの技法を大金で買うところだが、飲みの技法を教える学校は稀だ。君は、最小のコストで信頼の教師の教えを知ることができる。その教えは、飲む君には槍のようなものになるだろう。

君が武器を決して使わないとしても、それを買ったところで何の妨げがあるか。または、槍を手許に保持することに何の害があるか。酒飲みの武器が必要になる時が来るだ

plūrima, et hircīnīs frōns^truculenta pilīs.
Hūius sī quid habēs[2] animī, data vīna recūsā[1]:
incutiet[3] capitī^ pōcula sprēta ^tuō. 150
Sī semel atque iterum respondēs[2], prōvocat[1] illum
sēdulitās; retinēs[2] iam miser aure lupum.
Vīs[0] aliōs vītāre, cibum vīs[0] sūmere sōlus,
cum tē cum reliquīs pūblica tēcta fovent[2]?
Māiōrī^sūmptū sōlus cēnābis[1], et omnī 155
mūnophagō semper dūrior hospes eris.
Quārē nē tālī^ possīs[0] succumbere ^pugnā,
arte^pereximiā nōn opus esse putās[1]?
Sī rudis ā cunctīs prōmiscua pōcula sorbēs[2],
sōbria sī retinēs[2] pectora, fortis eris. 160
Haec quī trādiderit[3] tibi, nōn erit ille magister?
Aut iactat[1] stolidam^ fūtilis artis ^opem?
Hanc^ sibi complūrēs ^artem grandī^aere parārent[1],
artem pōtandī sed schola rāra docet[2].
Nōsse potes[0] minimō fīdī praecepta magistrī, 165
quae tibi^pōtantī cuspidis īnstar erunt.
Ut numquam ūtāris[3d], quid obest[0] tamen arma parasse,
sīve quid in prōmptū tēla tenēre nocet[2]?

48 **hircīnīs**: -us, a, um, *adj*.「ヤギの」**truculenta**: -us, a, um, *adj*.「不機嫌な」**pilīs**: -us, ī, *m*,「毛髪」50 **incutiet**: -tiō, tere, ssī, ssum「打ち付ける」51 **semel atque iterum**「繰り返して」56 **mūnophagō**, ōnis, *m*. 単独 (mono) 大食漢 (phagō) 58 **pereximiā**: -us, a, um, *adj*.「格別の」59 **prōmiscua**: -us, a, um, *adj*.「無差別の」63 **complūrēs**, a, *adj*.「多数の」**parārent**: parō, āre「買う」接続法未完了、現在の非現実。65 **nōsse** = nōvisse. 66 **īnstar**, *n*. indecl.「のようなもの」属格をとる。67 **parasse** = parāvisse. 68 **in prōmptū**「手許にある」

ろうが、もし腰に剣がなかったら、君は何を抜くだろうか。君は、兵士が常に武骨な武器を備えているのを見るが、武器を持つ者はいつもそれを必要としない。

故に、我が軍に多分志願したい君は、教えやすく注意を向けることが適当だ。

飲み試合の極意

まず初めに、君を夜祭に連れて行ったのが、偶然の機会であれ、確かな計画に基づく動機であれ、古代の法律に従えば、去るべきか、または飲むべきか、大量の生の酒で夜を徹するべきか、または昼に多量の酒で酒宴を過ごすべきか、それは君次第だ。もし君が賢明ならば、特に予測に努めるように。

神酒が注がれ、飲み試合をする君には、常に二人の飲み手との二面の争いがある。第一の者は、君に泡立つ酒で乾杯する者だろう。もう一人は、君が乾した杯を渡す相手だろう。君に対抗して飲む第一の者は、武器［酒杯］を運び、第二の酒飲みは、飲んだ君が遠ざける武器を勘定するだろう。

より多くの銘醸の試合に自身が参加することを選択し、大胆な手で対抗しないように。ヘラクレスは、二人の男の力を試したくはなかった。君も、ヘラクレスより強くあるこ

Adveniet[4] tempus, vīnōsa quod exigit[3] arma;
quem stringēs[3], sī nōn ad femur ēnsis erit? 170
Cōnspicis[3i] ut dūrīs semper stet[1] mīles in armīs,
et tamen haud semper, quī gerit[3] arma, ferit[4].
Ergō animōs^ opus est ^docilēs attendere, nostrae
quī dare mīlitiae nōmina forte cupis[3i].

Prīncipiō seu tē perdūxit[3] ad orgia cāsus, 175
seu ratiō^ certīs ^subdita cōnsiliīs,
et tibi prō veterī^ est abeundum aut ^lēge bibendum,
aut nox^ in multō ^pervigilanda merō,
aut agitanda diē vīnō convīvia largō,
sī sapis[3i], imprīmīs prōvidus esse studē[2]. 180
Anceps^ cum bibulīs* tibi ^pugna gerenda *duōbus
certantī īnfūsō^nectare semper erit.
Prīmus erit tibi quī spūmantia vīna propīnat[1];
alter erit cui tū pōcula sicca dabis[0].
Prīmus tē contrā pōtāns feret[0] arma, secundus 185
quae tū dēpellis[3], sentiet[4] arma, bibāx.
Nec plūrēs tēcum certāmen inīre Falernī
optēs[1], audācī^ sustineāsque[2] ^manū.
Nōluit[0] Alcīdēs vīrēs temptāre duōrum;
fortior Alcīdā nē velīs[0] esse Iovis. 190

70 **stringēs**: -ngō, ngere, nxī, ctum「剣を抜く」**femur**, oris, *n*.「大腿」73 **animōs attendere**「注意を向ける」**docilēs**: -is, e, *adj*.「教えやすい」74 **nōmina dare**「志願する」80 **imprīmīs**, *adv*.「特に」**prōvidus**, a, um, *adj*.「予見の」81 **anceps**, ipitis, *adj*.「二面の」86 **dēpellis**: dēpellō, ellere, ulī, ulsum「遠ざける」89 **Alcīdēs**, ae, *m*. ヘラクレスの別称。

とを欲しないだろう。

すべての者の中から誰か目立つ者一人を選び、その恐ろしい男に君のすべての槍を貫くように。アキレウスのように強い喉で戦うこの男を、満杯の酒瓶が繰り返して与えるバッコス神の槍で襲うように。彼一人、常に彼だけを敵として君は槍を投げるだろう。その彼だけが君の攻撃を受けるように。もし君の手でこのような男を打ち倒したら、君は偉大な技法で称賛されるべき勝者として戦ったことになる。

最強とされながら斃されたヘクトルは、殺された幾千の残りのトロイア人たちよりも、より大きな称賛をアキレウスに与えた。プリアモスの子ヘクトルは、ギリシアの英雄一般を打ち負かさず、偉大な指導者各人を打ちのめすことに努めた。好戦的なヘクトルは、テルシテスを退けた後には、勇猛なパトロクロスたちに向けて戦備を整えた馬々を常に維持した。

君は、すべての者を打ち負かせることを望むべきでない。単独の戦いはあまり確実でない。分散した力は多数に対して弱くなるが、集めれば決して弱い力ではない。もし君が多数に対抗して飲めば、君の杯は誰をも満杯にしない一方、多くの者の杯が君を素早く満杯にする。

Ūnum aliquem īnsignem numerō^ tibi dēlige[3] ab
^omnī,
quem tua cōnfīgant[3] spīcula cuncta trucem.
Hunc pete[3] Achillēō^ pugnantem ^gutture Bacchī
tēlīs, quae crēbrō plēna lagoena dabit[o].
Hunc ūnum, hunc sōlum semper iaculāberis[1d]
hostem, 195
ictūs^ excipiat[3] sōlus et ille ^tuōs.
Pugnāstī[I] magnā^ victor laudābilis ^arte,
tālem^ prōstrāvit[3] sī tua dextra ^virum.
Plūs dedit[o] Aeacidae laudis fortissimus Hector,
quam reliquī caesī mille dedēre[o] Phrygēs, 200
vincere nec vulgō Danaōs Priamēius hērōs,
sed studuit[2] magnōs sternere quōsque ducēs.
Semper in audācēs^ sprētō^Thersītě ^Patroclōs
intentōs habuit[2] belliger Hector equōs.
Nec tibi spērandum est cunctōs tē vincere posse, 205
pugna est ūnīus^ nōn bene firma ^manūs.
Invalidae fīunt[o] dīvīsae^ ad plūrima ^vīrēs,
collectae, numquam dēbile^rōbur habent[2].
Sī bibis[3] ad plūrēs, replent[2] tua pōcula nullum,
sed tē replēbunt[2] pōcula multa citō. 210

91 **īnsignem**: -is, e, *adj*.「目立つ」92 **cōnfīgant**: -gō, gere, xī, xum「貫く」**spīcula**: -um, ī, *n*.「槍」94 **crēbrō**, *adv*.「繰り返して」95 **iaculāberis**: iaculor, ārī, ātus「投げる」97 **pugnāstī** = pugnāvistī. 98 **prōstrāvit**: prōsternō, ernere, rāvī, rātum「打ち倒す」01 **Priamēius**, a, um, *adj*.「プリアモスの」03 **Thersītē**: -ēs, ae, *m*. ギリシア軍の悪役の醜男。**Patroclus**, ī, *m*. アキレウスの親友。04 **intentōs**: -us, a, um, *adj*.「戦備を整えた」**belliger**, gera, gerum, *adj*「好戦的な」

故に、君の杯は単一の者を狙うことにするように。その者を負かせば、君は大胆に群衆を襲撃することができる。または、もし君が試合に負けてその者に屈服すれば、有名な君は偉大なアイネアスの手に斃れたのだ。

勝利により喜ぶ君に欲しかった称賛が与えられるように、飲む時に君が次のようにすれば、君は勝者となるだろう。

君に勧めたのと同じ者が同じ口から返杯するように、君が誰の杯を受け、誰に杯を授けたかを記憶するように。

どの酒酌み器も看過せず、どの仲間も差し控えず、種々の呪いで貸した酒は要求するように。この技法では、広い酒皿を空にすることはできない。この技法では、満杯の酒壺を飲み干すことはできない。もし君が、ローマのボノススと飲みで等しく、フィルムスより確りしているとしても、この技法の仕事は、沢山の酒皿を飲み乾すことや、酒の大きな容器に狼狽しないことではない。この技法の仕事、飲みの最高の良習は、どこでも飲み友達が君に交代で返杯することだ。

ここでは、飲む君が注意深い心を持つことが必要だ。ここでは、アルゴスの［見張りの］目を持つことが非常に良い。それにより、君はどの杯を誰と乾杯したかを監視するし、

Fac itaque oppugnent[I] ūnum tua pōcula sōlum,
quō victō, potis es vulgus adīre ferōx,
aut, sī succumbis[3] victus certāmine, magnī^
clārius ^Aenēae succubuisse manū est.
Tē^ tamen ut cupĭtā ^laetum victōria laude 215
afficiat[3i], pōtāns sīc age[3], victor eris.
Estŏ memor quae cuique ferās[o], quae cuique propīnēs[I],
ut tibi pār prōmptō reddat[3] ab ōre^parī.
Nullōs dissimulā[I] cyathōs, nec parce[3] sodālī,
exige[3] multiplicī^ dēbita vīna ^prece. 220
Nōn est ars paterās^ posse ēvacuāre ^capācēs,
nōn est ars plēnōs posse vorāre cadōs,
nōn est artis opus phialās^ siccāre ^frequentēs
et vastōs^ vīnī nōn trepidāre ^lacūs,
nōn sī Rōmānum pōtandō aequāre Bonōsum, 225
nōn sī etiam Firmō firmior esse queās[4].
Hōc erit artis opus, virtūs^ haec ^summa bibendī,
ut tibi compōtor reddat[3] ubīque vicem.
Hīc decet[2] attentum^ tē ^pectus habēre bibentem,
hīc oculōs Argī praestat[I] habēre nimis, 230
tū quibus observēs[I], quae pōcula cuique propīnēs[I],
et quō^ tū gradĕris[Id] ^calle, sodālis eat[o].

14 **Aenēae**: Aenēās, ae, *m*. ローマ建国の祖。16 **afficiat**: -ō, icere, ēcī, ectum「与える」19 **dissimulā**: -ō, āre「看過する」20 **prece**: prex, ecis, *f*.「呪い」21 **capācēs**: capāx, ācis, *adj*.「広い」24 **trepidāre**: -ō, āre「狼狽する」28 **compōtor**, ōris, *m*.「飲み友達」30 **Argī**. -us, ī, *m*. 百の目を持つ巨人、厳重な見張り人。**praestat**: - ō, āre, itī, itum「より良い」

仲間が行くだろう小径を歩むだろう。我れは、経験から言っている。飲んで誠実な者はなく、君が用心深くなかったら、君はしばしば欺かれる。熟練の我れを信じて欲しいが、飲みに誠実で、誤魔化さずに勘定の借りを飲む仲間を見るより前に、君は白いカラスや空飛ぶカメ、更にハクチョウの黒い羽毛を見ることができる［それ程あり得ない］。

記憶力がよい必要があるのは嘘つきだけでなく、酒飲みも記憶する心が大いに健全である必要がある。故に、君の心は、如何なる忘却にも捕えられないように。声に出して空虚な銘醸を飲むように。

言葉で仲間に返杯を迫るように。よくある言い方としては、「さあ、私に返杯して、さあ、私に返杯して。空にすべき杯が休んでいるぞ。聞くが、何でこのグラスは、その酒杯は、滞っているのだ。」という。ためらう者の耳を引き抜いてでも頻繁に返杯を求めるように。生の酒のどんな記憶でも君自身が思い出させるように。

「どのように満杯の混酒器で君はしばしば他人に挑んでいるのか。どのように君は多くの杯を貪欲な喉で飲むのか。」

もし、生の酒を提供して倒したい相手が与えられた酒を交代で飲むように君が努力しな

Expertus dīcō[3], nēmō est pōtandŏ fidēlis,
nī fueris cautus, dēcipiēre[3] crĕbrō.
Ante potes[o] niveōs coracās volucrēsque chelōnās 235
et cygnī plūmās ante vidēre nigrās
quam fīdum^ pōtū, expertō mihi crēde[3], ^sodālem,
dēbita mēnsūrae quī sine fraude bibat[3].
Nōn modo mendācem memorem decet[2] esse, bibācem
multō plūs memorī^mente valēre decet[2]. 240
Quārē nulla tuam capiant[3i] oblīvia mentem:
praebibe[3] nōn tacitā vāna Falerna manū.
Ad respondendum verbīs compelle[3] sodālem,
saepius appellāns, "Heus, mihi redde[3] vicem.
Heus, mihi redde[3] vicem, siccanda haec pōcula
restant[I]; 245
cūr, precor[Id], hōc^vitrum cessat[I], et iste calix?"
Ad respondendum cūnctantis saepius aurem
velle[3]; merī memorem quamlibet ipse monē[2].
"Quōnam saepe aliōs plēnō crātēre lacessis[3]?
Quō sorbēs[2] avidā pōcula plūra gulā?" 250
Sī nōn dās[o] operam, bibat[3] ut data vīna vicissim
quem cupis[3i] oblātō dēposuisse merō,
quī nōn Lēthaeī pōtārit[I] gurgitis undās,

34 **dēcipiēre** /ēris: dēcipiō, ipere, ēpī, eptum「欺く」未来受動。35 **volucrēs**: -is, is, *adj*.「飛ぶ」**chelōnās** = chelōnia, ōrum, *npl*.カメ類。47 **cūnctantis**: cūnctor, ārī, ātus「ためらう」48 **velle**, vellō, ere, vellī, vulsum「引き抜く」52 **dēposuisse**: dēpōnō, ōnere, osuī, ositum「倒す」53 **pōtārit** = pōtāverit. **gurgitis**: gurges, itis, *m*.「深淵」

いと、レテの深淵の〔忘却の〕水を飲まなかった者が、我れから見れば飲みの君主となるだろう。自分の杯を気まぐれな風まかせにせず、神酒の返杯を求める者が、勝者として立ち去る。

実際に我れは、飲みの戦いの多くの者が、力で同等でない飲み手に出会うのを見た。何故彼らは、酒と飲みで他の者より前に満杯となったのか。彼らは、飲み干した生の酒に注意しなかったのだ。我れは、この規則と習慣と実践を尊重して、負かせた敵からしばしば戦利品を持ち帰った。飲む君もこれを尊重するように。君は、勝者として立ち去るだろうし、我が技法には重みがあると言うだろう。

向こう見ずでないように。君は、阿保なプロテシラオスと競って、他のギリシア勢より前に居たくはあるまい。泡立つ酒を飲む時はゆっくりと急ぐように。そうしなければ、急ぐ君は、どの敵にも負けずに倒れるだろう。君自身は、新鮮さを保って疲れた者に襲いかかり、戦いには最後に進発するように。疲れた者は、誰でも負かすことができる。我れを信じて欲しいが、バッコス神の戦いは急がず、ゆっくりとした生の酒により徐々に決着させるべきだ。君は、心が燃え上がった大胆な若者が、突然胸の火が消えたように倒れるのを見ないか。これは、彼らが急ぐべきでない銘醸を無造作に急いで、一口に

ille mihī prīnceps sorbitiōnis erit.
Quī nōn mōbilibus^ trādit[3] sua pōcula ^ventīs, 255
sed respōnsa petit[3] nectare, victor abit[o].
Expertus multōs bibulī virtūte duellī
vīdī[2] pōtōrēs nōn habuisse parēs.
Cūr sunt ante aliōs vīnō pōtūque replētī[2]?
Exhaustī cūram nōn habuēre[2] merī. 260
Hūius ego observāns praeceptī et mōris et ūsūs
praedam dē victō^ saepius ^hoste tulī[o].
Hōc et tū pōtāns observā[1], victor abībis[o],
et dīcēs[3] artem^ pondus habēre ^meam.
Praeceps esse cavē[2], stolidī neque Prōtesilāī 265
ante aliōs Danaōs aemulus esse velīs[o],
sed lentē properā[1] spūmantia vīna bibendō,
aut properē nullō victus ab hoste cadēs[3].
Ipse recēns fessīs incumbe[3], novissimus exī[o]
in pugnam; fessōs vincere quisque potest[o]. 270
Crēde[3] mihī, nōn sunt Bacchī properanda duella,
sed sēnsim tardō perficienda merō.
Nōnne vidēs[2] iuvenēs ferventī^mente ferōcēs,
ut subitō exstinctō^ pectoris ^igne iacent[2],

54 **sorbitiōnis**: sorbitiō, ōnis, *f*.「飲むこと」55 **mōbilibus**: -is, e, *adj*.「気まぐれな」61 **observāns**, antis, *adj*.「尊重している」属格をとる。62 **praedam**: -a, ae, *f*.「戦利品」65 **praeceps**, cipitis, *adj*.「向う見ずの」**Prōtesilāī**: -us, ī, *m*. トロイアで最初に討死したギリシアの将。66 **aemulus**, a, um, *adj*.「と競っている」69 **recēns**, entis, *adj*.「新鮮な」**exī**: exeō, īre, īvī, itum「進発する」命令法。72 **sēnsim**, *adv*.「徐々に」**perficienda**: -iciō, icere, ēcī, ectum「決着させる」

新しい一口を積み重ねるからだ。それはあたかも、すべての勝利は速く飲むことに依存し、酩酊した君は他人でなく自分を圧迫するかのようだ。

流血の戦争では、しばしば急ぐことが利益で、指導者はその技法により油断する男たちを圧倒し、不意の作戦で静かな男たちを打ち倒す。酒飲みの戦いは、外ならぬ怠惰な遅延による。貪欲な口で突然の酒杯を大飲する者は、第一に皆に滑稽でありたいのだ。故に、我が忠告通りに非常にゆっくりと飲めば、君自身が我が歌には重みがあると言うだろう。

急いでいると君が見る者を、頻繁に銘醸で攻撃するように。生の酒を急ぐ彼は二倍に負かし易い。このような者を飲みで沈めるのは、何の苦労もない。彼らは、自身の勤勉さにより沈没する。彼は、未熟な兵士のように、無謀に敵陣に先駆し、何の軍勢にも援助されずに誰にでも挑む。裸の剣と白い楯という軽装で、全く無名の彼は、自己責任で敵に負かされて倒れる。

それが君に起こらないように、ゆっくりと急ぐことが必要だ。用心深い唇で酒を舐めるように。そして、酒を飲み下さず、飲み物を貪欲に流し込まず、大きな一口で頻繁に生の酒を体内に入れないように。このように急いで飲む者は、酩酊に圧倒されて吐き、

dum temerē properant[1] nōn festīnanda Falerna, 275
et cumulant[1] haustūs haustibus usque novīs?
Cuncta quasi in celerī^ stāret[1] victōria ^pōtū,
quō tē, nōn aliōs, ēbrius ipse gravās[1].
Sanguineīs bellīs saepe est properantia lucrō,
quā dux incautōs obruit[3] arte virōs, 280
atque imprōvīsō^ prōsternit[3] ^Marte quiētōs.
At vīnōsa pigrā stat[1] nisi pugna morā.
Quī subitōs avidō calicēs ingurgitat[1] ōre,
rīdiculus prīmum hīc omnibus esse cupit[3i].
Ergŏ meō^monitū pōtandō lentius, ipse 285
carminibus dīcēs[3] pondus inesse meīs.
Quem properāre vidēs[2], crēbrō huic occurre[3] Falernō:
bis victus facilis fit[0] properante^merō.
Haud labor^ est ^ullus tālēs submergere potū:
ipsī sē mergunt[3] sēdulitāte suā, 290
sīcut mīles^iners temerē prōcurrit[3] in hostēs
et fultus nullā^ quemque lacessit[3] ^ope,
ēnse^ levis ^nūdō, parmāque inglōrius albā:
ille suā culpā victus ab hoste cadit[3].
Quod tibi nē ēveniat[4], lentē properāre necesse est, 295
et circumspectīs lambere[3] vīna labrīs.
Sed neque vīna vorā[1], nec avāriter ingere[3] pōtum,

76 **cumulant:** -ō, āre「積み重ねる」81 **imprōvīsō,** *adv*.「不意に」83 **ingurgitat:** -ō, āre「大飲する」87 **occurre:** -rō, rere, rī, sum「攻撃する」91 **prōcurrit:** -rō, rere, rī, sum「先駆する」92 **fultus:** fulciō, cīre, sī, tum「援助する」93 **inglōrius,** a, um, *adj*.「無名の」96 **lambere:** lambō, ere, ī, itum「舐める」97 **ingere:** ingerō, rere, ssī, stum「流し込む」

醜い笑いものにされる。

君は、漸次ごく小さい一口で大きな酒碗を空にし、大胆な者が酒を飲み下すのを許すように。君は、彼らに最初の勝利を喜んで譲り、彼らにケルト人の［野蛮な］心で最初の争いを戦わせるように。最後の称賛、最後の勝利は、君のものになるだろう。よく予測して、不敗の手腕で戦いを交えるように。

よく昼食を取らず、断食した舌で酒に突進しないように。また、空腹で腹が鳴るときに、酒を飲まないように。君がそれを避けない限り、君は生の酒で陵駕しようと試みる相手より早くに満杯になるだろう。

先ず好ましい底荷として、料理の荷を腹に入れ、先に飲みの基礎を置くように。二、三の人が追い立てたとしても、料理に専念して、

「まだ私自身は、食物に十分に満足していない。」

と言うように。相手は、遅延や、ゆっくりと昼食を貪食する人に耐えられず、一体誰に最初の杯を運ぶのかと尋ねるだろう。もし生の酒を飲む前によく昼食を取ったならば、そのうち君に好ましい飲みの欲望が到来するだろう。

ここで、おべっかの声で相手がその甘美な返杯を飲むように、酒杯を取って用心しな

nec crēbrō magnīs^haustibus inde[3] merum.
Obruit[3] ēbrietās ita festīnāta bibentem,
et vomitū turpem^rīdiculumque facit[3i]. 300
Haustibus^ ēvacuā[I] carchēsia magna ^pusillīs
paulătim, audācēs vīna vorāre sine[3].
Ipse lubēns prīmōs illōs concēde[3] triumphōs,
et prīmā pugnā Celtica corda gerant[3].
Ultima laus tua sit, tua sit victōria, tantum 305
prōvidus invictā^ cōnsere[3] bella ^manū.
Nec male prānsus adī[o] iēiūnā pōcula linguā,
nec vīnum vacuō ventre crepante bibe[3].
Quod nisi vītāris[I], citius replēberis[2] illō,
quem cōnābāris[Id] tū superāre merō. 310
Fac[3i] onerēs ventrem grātā dapis ante saburrā,
et fundāmentum pōtibus ante iacē[2].
Indulgē[2] dapibus, licet urgeat[2] ūnus et alter.
Dīc[o], "Nōndum plēnē sum satur ipse cibō."
Nōn feret[o] ille morās nec prandia lenta vorantem, 315
sed quaeret[3], cuinam pōcula prīma feret[o].
Intereā veniet[4] tibi grāta cupīdŏ bibendī,
ante merum sumptum sī bene prānsus[2] eris.
Hinc imprōvīsum sumptīs invāde[3] cypellīs,
dulcia quae blandā^ reddita ^vōce bibat[3]. 320

98 **inde**: indō, ere, idī, itum「中に入れる」01 **pusillīs**: -us, a, um, *adj.*「ごく小さい」02 **paulātim**, *adv.*「漸次」03 **lubēns** = libēns, entis, *adj.*「喜ばしい」06 **cōnsere**: cōnserō, ere, uī, tum「交戦する」08 **crepante**: crepō, āre「鳴る」11 **saburrā**: -a, ae, *f.* 船の「底荷」19 **cypellīs**: -a, ae, *f.* アヤメ科キペラ型の「酒杯」

い者の不意を襲うように。もし君が、相手が飲むべき酒を喜び、容易だと思ったならば、君は道が導くところへ更に遠くまで進むように。常に先行し、彼が君の進路から君を引き下ろそうとする、どんな逆行も許さないように。酒杯に酒杯を、酒碗に柄杓をつがせ、そこに酒壺の巨大な酒差しがすぐ続くように。遅滞なく、休息なく、あたかも頻繁な雹のように、活発な手で多くの杯を流し込むように。

今、君は、［変化自在な］プロテウス海神を確保している。彼が休息する場所を持てないように、強靭な鎖で縛るように。今後誰も君を呼んで挑むことがないことを証明しよう。君が次のような徴候を見る時には、満杯の酒壺で追い立てるように。

既に彼が嫌になっている時、彼が銘醸を嫌悪し、突然、顔に大きな赤みが差す時、彼が他の人より豊かな杯を飲んだと、側にいる給仕を野蛮な声で怒鳴りつける時。もし彼がどもって不完全な言葉を話し、不調で女給の助けをしばしば求めるならば、もし抜け目なく銘醸を内密にまたは公然とこぼすならば、これらは、通常負けた飲み手の兆候であろう。頻繁に杯を舐め、酒を唾し、湿った口から生の酒を唾するならば、

既に以前の炎が消え、熱気が冷めたら、生の酒で追い立てるように。やがて彼は降参の手を挙げるだろう。

Quem sī compererīs[4] ad vīna bibenda lubentem,
   et facilem, ulterius, quā via dūcit[3], eās[o].
Praeveniēns semper nullum concēde[3] regressum,
   quō tē dē cursū^ dētrahat[3] ille ^tuō.
Succēdant[3] calicī calicēs, carchēsia trullīs, 325
   inque locum subeat[o] vasta^capēdŏ cadī.
Nec mora, nec requiēs, sed crēbrae^grandinis īnstar
   ingere[3] nōn pigrā pōcula multa manū.
Prōtea iam retinēs[2], cōnstringe[3] tenācia vincla,
   nē requiescendī possit[o] habēre locum. 330
Effice[3], nē posthāc quisquam tē vōce lacessat[3],
   plēnīs urgĕ[2] cadīs, haec ubi signa vidēs[2].
Dum iam fastīdit[4], dum nauseat[I] ille Falernum,
   ēmicat[I] et subitō magnus^ in ōre ^rubor,
increpat[I] astantēs saevā^ dum ^vōce ministrōs, 335
   pōcla quod ante aliōs ūberiōra bibat[3].
Sī iam balbŭtiēns verba imperfecta profātur[Id],
   saepe puellārem sī petit[3] aeger opem,
pōcula sī crēbrō lambit[3], sī vīna pȳtissat[I],
   et crēbrō ex ūdō^ sī spuit[3] ^ōre merum, 340
callidus effundit[3] sī clamve palamve Falernum,
   haec fermē victī signa bibentis erunt.

21 **compererīs**: comperiō, īre, ī, tum「知る」接続法完了。22 **ulterius**, *adv*.「更に長く」26 **subeat**: subeō, īre, iī, itum「すぐ続く」27 **grandinis**: -ō, inis, *f*.「雹」29 **Prōtea**: -us, eī/eos, *m*. 変化自在な海神。対格。**tenācia**: tenāx, ācis, *adj*.「強靭な」32 **urgē**: urgeō, gēre, sī「追い立てる」35 **increpat**: -ō, āre, uī, itum「怒鳴りつける」37 **balbūtiēns**: balbūtiō, īre「どもる」39 **pȳtissat**: -ō, āre「唾する」40 **ūdō**: us, a, um, *adj*.「湿った」**spuit**: -ō, ere, uī, ūtum「唾を吐く」41 **callidus**, a, um, *adj*.「抜け目ない」

飲み試合の守備

もし誰かが先んじて君と戦い、追い立て、生の酒の包囲を巡らせ、酒酌み器に酒酌み器を重ね、一口に一口を繰り返して倍加し、更に新しいもので二重にし、君に呼吸のどんな力も残さず、抵抗するどんな便宜も与えないとしたら、このようにすることが必要だ。即ち、狂暴な敵の進路を混乱させ、完全な道から帆を転じ、生の酒の勝利をそれを求める手から奪い、少なくとも引き分けにして家に帰ることだ。

故に、君が不利な戦いに出会い、君の戸の前に多くの杯があるたびごとに、君は徐々に対応し、提供された酒を断らないように。信じて欲しいが、大胆な相手は、自身の力によって滅びるだろう。

その間に、君は給仕に大きな混酒器を要求し、交替でそれを飲むことにする。もし相手が不平の口吻で提供された銘醸を拒否し、現に君が彼に多数の杯を借りていて、以前に運ばれた酒の借りを返すべきであり、より大きな杯を彼に返すべきだと説いたならば、「これまで、私は君からこのように多くの満杯の杯を受け取り、熱心に、いやいやでなく飲んだ。しかし、私が最高の慎み深さをもって君に持ってきた、唯一で最初のこの混酒器に君は不機嫌だ。もし仮に私が君を尊敬しないとすれば、私は無情で、［古代ローマの

Iam prior exstinctīs flammīs dēferbuit[2] ārdor;
urgĕ[2] merō, victās^ iam dabit[o] ille ^manūs.

At sī praeveniēns aliquis tē oppugnat[1] et urget[2], 345
et iam vallāvit[1] obsidiōne merī,
accumulāns cyathōs cyathīs, haustūsque subinde
haustibus ingemināns, conduplicānsque novīs,
nec respīrandī tibi linquitur[3] ulla^potestās,
atque renītendī cōpia nulla datur[o], 350
hōc opus, hīc labor est: cursum turbāre ferōcis
hostis, et ē plānā vertere vēla viā,
victōremque merī palmā spoliāre petītā,
aut aequō^ saltem ^Marte redīre domum.
Fac[3i] ergō quotiēs pugnā es congressus[3d] inīquā, 355
et stant[1] ante tuās^ pōcula multa ^forēs,
respondē[2] sēnsim, nec vīna oblāta recūsā[1]:
crēde[3], suīs audāx vīribus ille ruet[3].
Intereā poscās[3] magnum^crātēra ministrum,
quem bibat[3] alternā^, tē referente, ^vice. 360
Oblātum querulō^ sī sprēverit[3] ^ōre Falernum,
et dēbēre palam tē sibi multa docet[2],
et solvenda prius portātī dēbita vīnī,
et sibi reddendum plēnius esse vicem,

43 **dēferbuit:** dēferveō, vēre, buī「冷える」46 **vallāvit:** vallō, āre「柵を巡らす」**obsidiōne:** -ō, ōnis, *f.*「包囲」47 **subinde,** *adv.*「繰り返して」50 **renītendī:** renītor, tī, sus「抵抗する」**cōpia** dare「便宜を与える」53 **spoliāre:** spoliō , āre「奪う」61 **querulō:** -us, a, um, *adj.*「不平を言う」63 **solvenda:** solvō「支払う」66 **sēdulus,** a, um, *adj.*「熱心に」

野蛮人の典型である」スキタイ人より田舎者で、ゲタイ人より野蛮であることになるだろう。君から飲むべきで、今なお残っているすべて杯は、私は熱心以外の何ものでもなく飲もう。」

と言うように。彼は、君にこのような方法の酒を断ることができる程に、非人間的で、不完全な田舎者ではないだろう。

酒を受け入れれば、次に彼は歩道から追い出され、順風の帆はその進路から外れた。このようにして君は、彼が彼に支払うことをせがむ借りを支払う時間と余裕を自分に買った。更に、彼が傾瀉器［デカンタ］を急がせて君をすぐに圧倒し、速やかな生の酒で君を絶えず悩ます恐れがない。

彼は、先ず二杯の杯を飲まなければならない。第一は、［君が渡して］彼が飲んだ杯、次いで彼が君に渡したい［ために飲む］杯だ。その間に、君は好都合な偶然により便宜を与えられ、その便宜によって、君は第一位を維持し、次に一等賞で他の贈り物を取り加えるだろう。また、次に彼らは、他の場所で第三の酒を与えられるだろう。

もし君が、他ならぬこの方法を熱心に利用すれば、君はバッコス酒に圧迫された自分を解放する。この規定は、君に酒飲みの勝利のシュロを与えるだろう。この規定は、我

“Hāctenus, ecce, ā tē tot pōcula plēna recēpī[3],” 365
inque[o], “nec invītō^ sēdulus ^ōre bibī[3].
Tū tamen hōc ūnō et prīmō crātēre gravāris[1d],
quem iussit[2] summus^ mē tibi ferre ^pudor.
Quī nisi honestārem[1] tē contrā, ferreus essem,
rūsticiorque Scythīs, barbariorque Getīs. 370
Pōcula, quae mihi adhūc ā tē sorbenda supersunt[o],
omnia nōn aliā^sēdulitāte bibam[3].”
Nōn ita inhūmānus neque erit sīc truncus agrestis,
ut queat[o] hōc pactō vīna negāre tibi.
Acceptō vīnō mox est dē trāmite pulsus[3], 375
versaque dē cursū^ vēla secunda ^suō.
Hinc tibi solvendī spatium tempusque parāstī[1]
dēbita, quae solvī flāgitat[1] ille sibi,
nec metus est, nē tē properātā prōtinus obbā
obruat[3], et celerī dēgravet[1] usque merō. 380
Sunt sorbenda duô prius illī pōcula: prīmum
quod sumpsit[3], dēmum quod tibi ferre cupit[3i].
Intereā facilī dabitur[o] tibi cōpia cāsū,
pōtandō prīmum quā tueāre[2d] locum,
quāque addās[3] prīmō mox altera dōna metallō; 385
mox dabit[o] hīs alius tertia vīna locus.

67 **gravāris:** gravor, ārī「不機嫌である」69 **nisi** 現在の非現実条件文。**ferreus**, a, um, adj.「無情な」70 **Scythīs:** -ae, ārum, mpl. 黒海北方の遊牧民。**Getīs:** -ae, ārum, mpl. 黒海西岸の一民族。73 **truncus**, a, um, adj.「不完全な」**agrestis**, e, *adj*.「田舎の」75 **trāmite:** trāmes, itis, *m*.「歩道」**parāstī** = parāvistī. 79 **obbā:** -a, ae, *f*.「傾瀉器」デカンタ。80 **dēgravet:** dēgravō, āre「悩ます」**381-386**. これらの詩行はやや意味不明。84 **tueāre** = tueāris: tueor, ērī, itus「維持する」

れに勝利の名［ウィンケンティウス］を授けた。
ああ、どうかユピテル神が我れに過去の年月を取り戻し給えばよいのに。我れが多量の酒を飲み下した若かりし頃は、確りとした力が若い体にあり、時間の経過で力強さが衰えず、若々しい年の我れはより良く酒に耐え、酒の多数の記念品を家に持ち帰ったものだ。
このような規則と技法と教師により指導されていたならば、我れは酒飲みで全員を打ちのめしていただろう。騎士が来たにせよ、彼が従者であったにせよ、誰でも我れと出会って無事に去った者はいなかっただろう。我れは、酒の大海や沼沢のすべてを飲み干したはずだし、提供された生の酒の広大な湖水も空にしたはずだ。［中略］

飲み試合の武器

これまでの規則を憶えるように努めなさい。これらを思い出せば、君を助けることができる。兵士は常に、楯と剣により保護されている。君もまた楯と剣で保護されていることが相応しい。それにより、君は酒の突然の攻撃を防ぎ、首尾よく返す手で槍をばらまくことができる。

Hāc^ tē, nōn aliā, ēvolvēs[3] ^ratiōne Lyaeō
oppressum, sī tū nāviter ūsus[3d] eris.
Haec^ tibi praestābit[1] vīnōsam ^rēgula palmam;
haec mihi victōris nōmen habēre dedit[o]. 390
Ō mihi praeteritōs referat[o] sī Iuppiter annōs,
quālis eram iuvenis plūrima vīna vorāns,
dum firmae^ stābant[1] iuvenīlī in corpore ^vīrēs,
necdum dīlāpsum[3d] tempore rōbur erat,
dum viridī^ fueram vīnī patientior ^aevō, 395
dē vīnō referēns multa tropaea domum.
Tālibus^ īnstructus ^praeceptīs, arte, magistrō,
strāvissem[3] cunctōs sorbitiōne merī.
Obvius haud quisquam mihi sēsē impūne tulisset[o],
seu vēnisset[4] eques, seu foret ille pedēs. 400
Hausissem[4] Ōceanōs tōtōs, vīnīque palūdēs
siccassem[1], oblātī vastaque stāgna merī. [...]

Fac[o] praeceptōrum studeās[2] memor esse priōrum, 625
sīc tibi ferre queunt[o], quae referentur[o], opem.
Est clipeō mīles semper mūnītus[4] et ēnse,
mūnītum^ clypeō ^tē quoque et ēnse decet[2],
quō subitōs^ictūs vīnī dēpellere possīs[o]
promptus et adversā^ spargere tēla ^manū. 630

88 **nāviter**, *adv*.「熱心に」94 **dīlāpsum**: dīlābor, bī, psum「衰える」95 **patientior**: patiēns, entis, *adj*.「耐える」98 **strāvissem**: sternō, ere, strāvī, strātum「打ちのめす」01 **palūdēs**: palūs, ūdis, *f*.「沼沢」02 **stāgna**: -um, ī, *n*.「湖水」**403-624**. 多くは酒器ギリシア語の冗語で本書では省略。30 **spargere**: spargō, gere, sī, sum「ばらまく」

飲んでいる君の戸の前で（君の食卓への隘路はつましくないように）、常に大きな壺が見張りをしているように。これは、楯の代りになるだろう。君に対して一人から二人の戦いである時は、これを使わないだろう。しかし、もしそれ以上の誰かが君に戦いを挑んだら、生の酒で挑戦者の［薄めた］酒を排斥し続けるように。酒を献杯する者に酒を運び、君を打ちたがる者を直ちに抜いた剣で打つように。かく追い払い、かく剣が剣を制し、かくして君は、釘が釘を抜くようにしなければならない。

特に次の規則（軽い重みを持つものではないだろう）もまた記憶に保持することに努めるように。君は、順番外の、または多分隠された経路から来た、銘醸を受けたくないだろう。誰も二面戦争は上手く戦えず、誰も家と外［の二面］では酒を上手く飲めない。次のように言うように。

「ここには多くの他の仲間がいるので、全員ではなく君と交代で杯を挙げることはできない。誰かが君と共に秘密の攻撃の約束によって、共謀した生の酒で戦いたいと思っていることを、君は知っている。」

君がこの不当な約束を破棄するまでは、君が一人で酩酊に悩み哄笑をもたらすように仕組まれた、親交をかたる偽りの方法による攻撃を決して受けないように。君は、次の

Grande^ tuās* (nec sit tibi dūra angustia mēnsae)
^vās semper *madidās excubet[I] ante *forēs.
Hōc vice sit clipeī, quō nōn ūtēre[3d], duellum
dum tibi cum prīmīs^ usque ^duōbus erit,
extrā sed pugnam sī quis tē prōvocat[I], illō 635
perge[3] lacessentis pellere vīna merō.
Vīna propīnantī fer[0] vīna, ferīre volentem
prōtinus ēductō^ tū simul ^ēnse ferī[4].
Sīc absterrēbis[2], sīc ēnsem continet[2] ēnsis,
pellendus clāvō sīc tibi clāvus erit. 640
Hōc quoque praecipuē (nec enim leve^pondus habēbit[2])
praeceptum memorī^ condere ^mente studē[2].
Nīl extrā numerum velĭs[0] acceptāre Falernī,
nec quod ab oblīquō trāmite forte venit[4].
Nēmŏ benê potis est geminīs incumbere bellīs, 645
et bene nēmŏ domī vīna forīsque bibit[3].
Dic[3], “Praestō[I] plūrēs aliōs hīc esse sodālēs,
sed tē nōn cunctīs posse referre vicem.
Sentīs[4] velle aliquōs ictō^ clam ^foedere tēcum
et coniūrātō belligerāre merō.” 650
Nīl prius acceptā[I], quam foedus^ scindis[3] ^inīquum,
ictum fallācī^mōre sodāliciī,

31 **angustia**, ae, *f.*「隘路」32 **excubet**: -ō, āre「見張る」33 **ūtēre** = ūtēris. 37 **ferīre**: feriō, īre「打つ」39 **absterrēbis**: -eō, ēre, uī, itum「追い払う」**continet**: contineō, ēre「制する」49 **ictō**: ictus, a, um, *adj.*「攻撃の」**foedere**: foedus, eris, *n.*「約束」50 **coniūrātō**: -us, a, um, *adj.*「共謀した」51 **scindis**: scindō, ere「破棄する」52 **sodāliciī**: -um, ī, *n.*「親交」

ように言う。

「この理由から、約束を破棄することが適当だ。私は、君たちが私に生の酒で共謀したと思っている。そして私は、私が君たちの力に匹敵するとは思わない。私は、一人で君たちと試合をすることを拒否する。多勢に一人で戦うのは大ばかだけだ。もし良ければ、連続した輪になってギリシア人のように飲もう。私は、他の条件では飲まないだろう。」

この方法で、約束で結ばれた者たちと飲めば、君は難なく立ち位置を守るだろう。これで全員に一つの同じ労苦がかかり、全員が生の酒の同じ負荷に耐えると考えられる。今ある者が、また他の者が君を悩ませることもなく、君の楯がすべての槍を受け取ることもないだろう。もし君が標的として全員の前に立たされるならば、どうして君は一人で酒に屈服されないことができようか。

もしある人が第二の進行を遅らせ、巡る大杯を弱めることを求めるのなら、その人は出会った酒を酒壺に予め流して、杯を輪の反対の部分に投げるだろう。つまり、君が公平なバッコス酒で戦いたいと思うたびごとに、君は常に次の規則を堅持するべきだろう。即ち、すべての杯は、斜めにではなく輪の形で飲まれ、どんな十字にも送られることはないように。

sōlus ut exhibeās[2] gravis ēbrietāte cachinnōs.
 “Quā ratiōne decet[2] scindere foedus,” ais[o].
“Cōnspīrasse merō vōs in mē sentiŏ[4],” dīcās[3], 655
 “sed negŏ[I] mē vestrīs^vīribus esse parem.
Sōlus vōbīscum certāmen inīre recūsō[I];
 sōlus^ cum multīs ^mōrio bella gerat[3].
Continuum^ Graiō sed mōre bibāmus[3] in ^orbem
 sī placet[2]; haud aliā condiciōne bibam[3].” 660
Hāc ratiōne bibēns iunctō^ cum ^foedere iunctīs,
 dēfendēs[3] nullā^ cum ^gravitāte locum.
Sīc omnēs ūnōque parīque labōre gravantur[I];
 sīc par^ ferre merī cōgitur[3] omnis ^onus;
sed neque turbābit[I] nunc hīc tē, aliunde sed ille, 665
 nec clipeō excipiēs[3] omnia tēla tuō.
Nam quī nōn sōlus possīs[o] succumbere vīnō,
 sī praefixus[3] eris omnibus ipse scopus?
At tū sī quaeris[3] cursūs^ tardāre ^secundōs,
 quaeris[3] currentēs^ dēbilitāre ^scyphōs, 670
orbis in adversam^ pōclum iaculābere[Id] ^partem
 et prius ēmissīs obvia vīna cadīs.
Dēnique vīs[o] quotiēs aequō contendere Bacchō,
 haec^ servanda tibī ^rēgula semper erit.
Nulla per oblīquum, sed cuncta bibantur[3] in orbem, 675

53 **exhibeās**: exhibeō, ēre, uī, itum「もたらす」55 **cōnspīra**(vi)**sse**: cōnspīrō, āre「共謀する」58 **mōrio**, ōnis, *m.*「大ばか」66 **excipiēs**: excipiō, ipere, ēpī, eptum「受け取る」68 **praefixus**: praefīgō, gere, xī, xum「前に付ける」**scopus**, ī, *m.*「標的」70 **dēbilitāre**: -ō, āre「弱める」71 **iaculābere** = iaculāberis: iaculor, ārī「投げる」直説法未来。

神に誓って、我れはこれよりも更に愛すべき飲みの種類や、より晴れやかな酒があることを知らない。気楽な友達が飲む時以外は、これを使う。酒浸りのサクソニアのよい種族は、調理された穀物［ビール］と濃い液を飲む時に、これを使う。ああ悲しい。何故この場所にはブドウ酒がないのか。水っぽい杯をかくも睦まじく敬愛する種族には、生の酒が似つかわしい。この種族には天上の神酒が似つかわしい。

例えそれ程大きな重みをもつことではなくても、我れは次のことを黙って看過することができない。即ち、義理の息子からはどんな生の酒も飲まず、血のつながった者からも同様に飲まないように。これは、彼が君にしつこく問い、君を田舎者と責め、君の心には石が入っていると言ったとしてもだ。

酒宴はけんか好きな事件を拒否し、気楽な酒の間に法廷は存在しないので、けんかする者たちの間で争いが起こっても、向こう見ずに危険な酒の仲裁者にならないよう注意するように。更に、君の証言で誰かが罪人と宣告されず、君は誰か他人の名前で酒を与えないように。そのような人たちは、常に相応しい「お返し」を帰り持ち、それらは確実にそれまでの酒に重さを加える。

nec faciant[3i] ullās^ pōcula missa ^crucēs.
Hercule, amābilius nullum^genus esse bibendī
hōc, neque vīna magis candidiōra sciō[4].
Hōc nisi dum sorbent[2] facilēs ūtuntur[3d] amīcī;
Ūtitur[3d] hōc madidae gēns bona Saxoniae 680
dum coctam^Cererem pōtant[1] crassōsque^liquōrēs.
Hei mihi, cūr vīnum nōn habet[2] iste^locus?
Digna merō gēns est, superum gēns nectare digna,
quae tam frāternē pōcula aquōsa colit[3].
Hōc etiam tacitum, quamvīs sit ponderis īnstar 685
haud magnī, minimē dissimulāre queō[4]:
ut nihil ā generō capiās[3i], ā sanguine iunctō
tantundem cape[3i], mē praecipiente, merī,
nōn sī tē rogitet[1], nōn sī tē culpet[1] agrestem,
dīxerit[3] et silicēs pectorī^ inesse ^tuō. 690
Et quia rixōsās damnant[1] convīvia causās,
nec locus est inter lībera vīna forō,
inter rixantēs ortō^certāmine, vīnō
dē dubiō praeceps arbiter esse cavē[2].
Nec tē^teste reus quisquam dīcātur, et ullī 695
alterius numquam nōmine vīna dabis[0].
Semper enim tālēs dōnāria digna reportant[1],
pondere quae certō vīna priōra gravant[1].

81 **crassōs**: -us, a, um, *adj*.「濃い」83 **superum** = superōrum. 84 **frāternē**, *adv*.「睦まじく」87 **generō**: gener, erī, *m*.「義理の息子」88 **tantundem**, *n*.「同量」89 **rogitet**: -ō, āre「しつこく問う」94 **dubiō**: -us, a, um, *adj*.「危険な」95 **reus**, ī, *m*.「罪人」

飲み試合の実践

我れは、十分に確実とはいえないある種の飲みの規則を与えたが、これらは同時に軽くはない力を持っている。君は、継続した経験によりこれらを確実なものにしなければならず、それなしにはすべての教義は何の役にも立たない。卓越した技法では常に、学校で学んだ規則よりも、経験がより力になる。技法は経験によって成長し、経験が教師を作る。誰でも経験があれば、絶大な支援を得る。弛まぬ経験により、どんな技法もより完璧になる。誰が経験を、十分に至当な称賛にまで高めることができるか。

君が確実な技法を正しく獲得しない限り、君は酩酊して不潔な地面に横たわるだろう。そのように我れも、（ああ、すべての技法に見捨てられて）稀ならず糞泥の中に横たわった。原因は、過誤だった。我れは、あいにく簡単な規則を不十分に教えられて、経験を欠いていたのだ。

それ故に、我が規則に支えられたい君自身は、絶えず杯を傾け、三杯の杯がいち早く君を滅ぼさないよう、より上手く生の一口を扱うことに馴れるように。我が忠告に従い、徐々に酒を飲むことを学ぶように。即ち、今日は六杯、明日は十杯を君のものとする。もし君の力が確実な段階を踏むつもりならば、今、子ウシを運ぶ君は、そのうち雄ウシ

Quaedam firma parum dedimus[o] praecepta bibendī,
sed tamen ista simul nōn leve^rōbur habent[2]. 700
Haec sunt assiduum tibi cōnfirmanda per ūsum,
citrā quem possunt[o] dogmata cuncta nihil.
Semper in eximiīs^ potis est plūs ^artibus ūsus,
quam praecepta s̲cholās ūtilitāte iuvant[I].
Ūsū̲ artēs crescunt[3], ūsus facit[3i] esse magistrōs; 705
ūsum quisquis habet[2], grande^iuvāmen habet[2].
Quaelibet^ impigrō* perfectior ^ars fit[o] ab *ūsū.
Quis satis hunc meritā^ tollere ^laude potest[o]?
Hōc nisi firmātam^ tibi rīte parāveris[I] ^artem,
ēbrius immundā^ saepe iacēbis[2] ^humō, 710
sīcut egô iacuī[2] nōn rārō̲ in stercore (cunctīs,
hei, dēstîtūtûs artibus) inque lutō.
Causa fuit lāpsus, quoniam mihi dēfuit[o] ūsus,
īnstructō nūdā^ scīlicet ^arte parum.
Quāpropter nostrīs praeceptīs ipse iuvārī 715
quī cupis[3i], assiduā^ pōcula verte[3] ^manū,
atque̲ assuēsce[3] merum portāre capācius haustum,
nē tē subvertant[3] pōcula trīna citō.
Disce[3] meīs monitīs vīnum pōtāre gr̲adātim:
pōcula sex hodiē, crās tibi pōcla decem. 720
Quī modo fers[o] vitulum, poteris[o] mox ferre iuvencum,

06 **iuvāmen**, inis, *n*.「支援」11 **stercore:** stercus, oris, *n*.「糞」12 **dēstitūtus:** dēstituō, ere「見捨てる」**lutō:** -um, ī, *n*.「泥」17 **capācius:** capāx, ācis, *adj*.「適した」18 **subvertant:** tō, tere, tī, sum「滅ぼす」19 **gradātim**, *adv*.「徐々に」21 **iuvencum:** -us, ī, *m*.「雄ウシ」

を運べるだろう。

逃げる銘醸や希釈した酒を入門に使わず、強い酒を飲むように。もし君にそれに耐える力があるならば、ネッカー川の河岸に囲まれて育つ弱い酒にも耐える力があるだろう。若い体の確実な力が開花し、君の膝が確りと元気である内に、飲むように。また、君の試合を、歩みの遅い年まで延ばさないように。君が更に年をとる時には、兵士よ、更に不活発になる。

しかし、君が酒飲みの試合で負けるたびごとに、この技法とこの規則を君に喜んで授けた人に、君はすぐに悪評は立てないだろう。君は、何時でも勝者として帰ることはできない。何故ならば、戦争の賭けが危険であるように、バッコス酒の賭けも同じで、酒も偽りの寵愛で遊ぶ。

ハンニバルは、武器と戦争に熟達していたといっても、常には殺した敵から武器を持ち去れなかった。また、このカルタゴ人は、軍神の寵愛を得て、トラジメノ湖の透明な波の側で、イタリアの指導者たちをあまねくは打ち倒さなかった。

例え君が如何に我が技法によく慣れていたとしても、君は自身が何処でも常に勝者であろうことは望めないだろう。

sī tua^vīs certōs^ est habitūra ^gradūs.
Pōne[3] rudīmentum nōn in fugiente^Falernō,
nōn in dīlūtō; fortia vīna bibe[3].
Quae sī ferre valēs[2], et aquātica ferre valēbis[2], 725
quae^ crescunt[3] rīpīs, Necchare, ^cincta tuīs.
Et bibe[3] dum solidae^ iuvenīlī in corpore ^vīrēs
flōrent[2], et genua dum tibi firma virent[2],
nec tua tardigradōs certāmina differ[o] in annōs:
quō senior fīēs[o], hōc mage, mīles, iners. 730
Nec tamen hanc^artem mox īnfāmābis[1] et illum,
quī praecepta libēns trādidit[3] ista tibi,
vīnōsō^ quotiēs fueris ^certāmine victus;
tempore^ nōn ^omnī victor abīre potes[o].
Sīcut enim Martis dubia est, sīc ālea Bacchī; 735
lūdunt[3] fallācī^ vīna ^favōre quoque.
Nōn semper, licet[2] armōrum bellīque perītus,
Hannibal ē caesīs^hostibus arma tulit[o],
nec passim vitreās Trasimēnī Poenus ad undās
contudit[3] Ausoniōs^ Marte favente ^ducēs. 740
Nec tē, sīs nostrā^ quamvīs bene trītus in ^arte,
spērēs[1] victōrem semper ubīque fore.

22 **habitūra:** habeō, ēre, uī, itum. 回説的未来分詞。sumと共に「つもりである」23 **rudīmentum**, ī, *m*.「入門」26 **Necchare:** -us, ī, *m*. ライン川の支流。呼格。**cincta:** cingō, gere, xī, ctum「囲む」28 **virent:** vireō, ēre, uī「元気である」29 **tardigradōs:** -us. a. um, *adj*.「歩みの遅い」30 **mage** = magis. 31 **īnfāmābis:** -ō, āre「悪評を立てる」39 **Trasimēnī:** -us, ī, *m*. イタリア中部の湖。**Poenus**, ī, *m*. カルタゴ人。40 **contudit:** contundō, undere, udı, usum「打ち倒す」**Ausoniōs:** -us. a. um, *adj*.「イタリアの」

更に、君が技法と体力に見捨てられたと感じる時は、君は技法の弱点を欺瞞で支えなければならない。我れは、神酒で行われる欺瞞を全く称賛しない。酒を偽る者は、信頼をも偽る。

もし君が、他の者が奸計と欺瞞に依存するのを見る時は、酒飲みに奸計を企てるように。カエサルの法が暴力による暴力の撃退を許すように、バッコス神の法は欺瞞による欺瞞の防衛を許す。誰にも、欺く者を欺くことに赤面する習慣はない。偽りのクレタ島人は、欺瞞で襲わなければならない。

何が、狂暴なラピタイ族を狡猾さで陵駕し、恐ろしいケンタウロスを生の酒の欺瞞で打ち負かすことを、妨げるか。アレクサンドロスは、敵が夜間に火の玉を投げることを欲さず、密かな勝利の特典を拒否した。むしろ、君はトロイアのクロイブスの言葉を称賛するだろう。即ち、勝利を盗むことは、立派な偉業と思うべきだ。

「欺瞞か剛毅か、誰が敵中で尋ねようか。」〔『アエネイス』二・三九〇〕

生の酒で欺くように。君は、千の欺瞞の形を保つことができる。

給仕は、多少の金で事前に買収されるべきだろうし、または秘密の約束で誘われるべきだろう。彼が、残りの客には最強の酒を作るが、君一人には水にすり替えられたしら

Porrō ubi dēstituī cum vī tē sēnseris[4] arte,
dēbilitās artis fraude iuvanda tibi est,
quamvīs laudŏ[1] minus factās^ in nectare ^fraudēs: 745
quī fallit[3] vīnō, fallit[3] et ille fidē.
Sī tamen īnsidiīs aliōs et fraude vidēbis[2]
nītier, īnsidiās vīna bibendŏ strue[3].
Fraude sinunt[3] Bacchī lēgēs dēpellere fraudem,
Caesaris ut vim vī pellere iūra sinunt[3]. 750
Fallere fallentēs nullī solet[2] esse rubōrī;
Crētēnsis mendāx fraude petendus erit.
Quid prohibet[2] Lapithās^ astū superāre ^ferōcēs,
Centaurōsque^trucēs vincere fraude merī?
Sprēvit[3] Alexander fūrtīvae praemia palmae, 755
nōlēns hostīlēs fundere nocte globōs.
Tū mage Trōiănī laudābis[1] verba Choroebī;
fūrārī palmam grande^ putāto[1] ^decus.
Falle[3] merō: “dolus an virtūs, quis in hoste requīrat[3]?”
Fallendī fōrmās mille tenēre potes[0]. 760
Corrumpendus erit parvō^ prius ^aere minister,
aut clam prōmissīs alliciendus erit.
Misceat[2] ut reliquīs fortissima vīna, tibi^ūnī
sōbria supposita pōcla ministret[1] aquā.

48 **nītier** = nītī: nītor, tī「依存する」**strue:** -ō, ere, xī, ctum「企てる」52 **Crētēnsis,** is, *m*.「クレタ島の人」53 **astū:** -us, ūs, *m*.「狡猾」55 **fūrtīvae:** -us. a. um, *adj*.「密かな」56 **globōs:** -us, ī, *m*.「火の玉」57 **Choroebī:** -us, ī, *m*.トロイアの戦士。偽計でギリシア兵士に扮した。58 **fūrārī:** fūror, ārī「盗む」**putāto,** 命令法未来。64 **pōcla** = pōcula. **ministret:** -ō, āre「勧める」

ふの杯を勧めるように。彼が、他の集団には年代物の生の酒を飲ませ、君には普通の強さの、落ち着いた酒を供するように。長年を経た酒は酒に強い人に残し、もしあれば、新しいブドウ汁［新酒］を注意深く取るように。甘い酒があれば、甘い酒を最も頻繁に利用するように。信じて欲しいが、甘い酒は酩酊した心を作りにくい。

しかし、もし残りの大酒飲みたちが新酒が好きならば、新しい酒杯に長年の酒を密かに入れるように。もし見つけられても、過ちは簡単に弁解されるだろう。酌取りの手は、このような間違えを多く犯すものだ。しばしば小便に外に出るように。君は時間を稼ぎ、そこで酒の負債が投げ下されるか、または君の相手が忘れた酒をついに見のがすかだろう。このように我れは、応対せずに多くの酒を飲んだ。

同時に我れは、技法によりすべての酒飲みに企てることができる、その他の欺瞞と奸計と策略を知らせる。

もし君が、会食者を上品に欺くことを求めるならば、熱気のある酒宴の入口からすぐに、最初に与えられたすべての杯を拒み、君の力が飲み物にあまりよく耐えないと言うように。支度した体を見せかけの痛みで仮装するように。偽りの顔つきで病気を仮装するのが相応しい。

Lēne^merum modicī tibi praebeat[2] ille vigōris; 765
sorbeat[2] annōsum cētera turba merum.
Vīna vetustātem portantia linque[3] ferōcī;
sī praestō est, mustum sēdulŏ carpe[2] novum.
Vīnum dulce datur[o], tū crēbrius ūtere[3d] dulcī;
ēbria dulce minus pectora, crēde[3], facit[3i]. 770
Sī tamen et reliquōs^ dēlectant[I] musta ^bibōnēs,
ingere[3] clam calicī^ vīna vetusta ^novō:
sī dēprēnsus[3] erit, facile excūsābitur[I] error;
pincernae peccat[I] tālia multa manus.
Saepe forās exī[o] mictum, lucrābere[Id] tempus, 775
quō dēturbantur[I] dēbita vīna locō,
aut oblīta tuus^ quae tandem negligit[3] ^hostis;
nōn respondendō sīc ego multa bibī[3].
Mittō[3] aliās fraudēs simul īnsidiāsque dolōsque,
quae possunt[o] bibulīs omnibus arte struī. 780
Sī tamen urbānē convīvās fallere quaeris[3],
mox ā cōnflātī līmine symposiī,
pōcula prīncipiō quae dantur[o] cuncta recūsāns,
dīc[3] pŏtum vīrēs^ nōn bene ferre ^tuās.
Corporis affectī simulātōs^ finge[3] ^dolōrēs; 785
mendācī^ morbōs fingere ^fronte decet[2].

65 **vigōris**: vigor, ōris, *m.*「力」68 **sēdulō**, *adv.*「注意深く」74 **pincernae**: -a, ae, *f.*「酌取り」75 **mictum**: mingō, ngere, nxī, ctum「小便する」**lucrābere**/ris: lucror, ārī「稼ぐ」76 **dēturbantur**: -ō, āre「投げ下す」77 **negligit** = neglegit: neglegō, egere, ēxī, ēctum「見のがす」82 **cōnflātī**: cōnflō, āre, āvī, ātum「焚きつける」85 **finge**: finngō, ngere, nxī, ctum「仮装する」

君への生の酒のすべての贈り物はとても有り難いが、重い病気から回復するには少し時間がかかる。そのため、君は再び大きな損害を自身に与えたくないので、処方された食事の酒を飲まなければならない。

ポリュペモスのように野蛮な習性でなければ、このように弁解する君には、誰も杯を強いないだろう。会食者たちが最初のバッコス酒で熱くなった後に、善い酒をしかし静かな足取りで導入するように。

「会食者の皆さん、恐らく皆さんが私を田舎ものだと思わないように、たとえ私の健康があまり確りしていなくても、それにも拘らず私は、隣人への愛のしるしとして、滴る銘醸に満ちた酒皿で祝杯を挙げます。」

このような方法で君は、ついに疲れで偽った苦しみと共に、普通の杯への参加を許される。同時にこの欺瞞で、悪い酒が君の心に笑いかける時に、君はまたすべての銘醸に用心することができる。

しかし、次の誤魔化しが我れに大変役に立つ。これを我れは、飲めば今なお一般的に、非常にしばしば利用する。我れが殆ど倒れたいと思い、多量の酒酌み器で重くなった四肢が横たわり、杯に消耗されたすべての力が硬直し、もはや我れに如何なる助けの望み

Cuncta merī fore dōna tibī grātissima, paulō
sed prius ā morbō^ convaluisse ^g̲ravī.
Inde bibenda tibī praescriptae vīna diaetae,
magna tibī rursus nī dare damna velīs[o]. 790
Haec excūsantem^ nēmō ^tē̲ ad pōcula cōget[3],
mōribus^incultīs nī Polyphēmus erit.
Post, ubi convīvae prīmō̲ incaluēre[3] Lyaeō,
īnsere[3] sed placidō^ vīna benigna ^pede:
"Nē mē^, convīvae, fortasse putētis[I] ^ag̲restem, 795
quamvīs firma parum sit valĕtūdŏ^mea,
attamen hanc pateram plēnam saliente^Falernō
praebibŏ[3], vīcīnō pignus amōris, ego."
Admissus[3] tālī̲^ ad commūnia pōcula ^pactō,
tandem cum fessīs dissimulātă^face. 800
Hāc^ quoque ^fraude potes[c] semel omne* cavēre
*Falernum,
arrīdent[2] animō cum male vīna tuō.
Prōfuit[o] haec^ etiam nōbīs ^fallācia multum,
quā fermē pōtus saepius ūtor[3d] adhūc:
postquam paene mihī videor[2] succumbere velle, 805
et multīs cyathīs membra g̲ravāta iacent[2],
atque s̲tupent[2] omnēs cōnsumptae̲^ in pōcula ^vīrēs,
nec nōbīs ultrā spēs^ opis ^ulla datur[o],

88 **convaluisse:** convalēscō, ēscere, uī「回復する」94 **īnsere:** īnserō, ere, uī, tum「導入する」96 **valētūdō**, inis, *f*.「健康」97 **attamen**, *conj*.「それにも拘わらず」98 **pignus**, oris, *n*.「愛のしるし」99 **pactō** = modō. 00 **face:** fax, facis, *f*.「松明」ここでは「苦しみ」02 **arrīdent:** arrīdeō, dēre, sī, sum「笑いかける」03 **fallācia**, ae, *f*.「誤魔化し」

もない、そのような時に我れは、よろめきながら密かに酒の滴る競技場から退き、迷う足取りで沸き立つ酒から逃れる。

このように我れは、未だ致命的な傷を受けずに、半死の自身を確実な死からしばしば遠ざける。同時に我れは、大酒飲みの相手から望まれた勝利を奪う。これは、もし我れが予め立ち去らなかったならば、彼らが我れから持ち去ったであろうものだ。

教師の模範に倣ってはいけない理由は何もないし、君が密かな逃亡を恥じるべき要求もない。ミネルワ女神のアテナイにおいて、最高の雄弁家であった者［デモステネス］を君は知らないのか。彼の行いは称賛なしではなかった。彼は、楯落しと呼ばれることを恥ずかしく思わず、この男は確かに逃げてから、バッコス酒の戦いに再び挑んだ。君が馬鹿げたことをして、酒飲みの集まりの滑稽話になる前に、君は立ち去るように。

故に、君が勝ちのすべての力を取り去られた時には、酒が疲れた足を動かし始めるように。そうすれば、誰も君の痛手を自慢しないだろうし、誰も君が生の酒に負けて倒れたと叫ばないだろう。

occultē madidā titubāns discēdŏ[3] palaestrā,
  et fugiō[3i] errantī^ fervida vīna ^gradū. 810
Sīc nōndum acceptō lētālī vulnere, mēmet^
  sēmianimem certae^ subtrahŏ[3] saepe ^necī.
Spērātā palmā spoliō[1] simul antibibōnēs,
  quam ferrent[0] dē mē^ nōn ^abeunte prius.
Nīl vetat[1], exemplum cūr nōn imitēre[1d] magistrī, 815
  nec velit[0] occultae tē puduisse fugae.
Nescis[4] Palladiīs quid summus rhētor Athēnīs
  fēcerit[3i], et factum nōn sine laude fuit.
Illum nōn puduit[2] dīcī rhipsaspida, quippe
  vir fugiēns iterum Bacchica bella geret[3]. 820
Et tū cēde[3], prius quam quid committis[3] ineptī,
  et fīās[0] bibulō fābula salsa chorō.
Ergō ubi cuncta tibī vincendī est dēmpta[3] potestās,
  incipiant[3] fessum^ vīna referre ^pedem.
Nēmŏ tuō^ sīc sē iactābit[1] ^vulnere, nēmō 825
  clāmābit[1] victum^tē cecidisse merō.

11 **lētālī**: -is, e, *adj*.「致命的な」**mēmet**. mēの強調形。12 **sēmianimem**: -is, e, *adj*.「半死の」**subtrahō**, here, xī, ctum「遠ざける」**necī**: nex, necis, *f*.「死」13 **antibibōnēs**: antibibo, ōnis, *m*.「大酒飲みの相手」19 **rhipsaspida**「楯落し」Fontaine (2020) はdrop-shieldと訳す。格変化等不詳。21 **ineptī**: ineptus, a, um, *adj*.「馬鹿げた」22 **salsa**: salsus, a, um, *adj*.「滑稽な」**chorō**: chorus, ī, *m*.「集っている人々」23 **dēmpta**: dēmō, ere, psī, ptum「取り去る」

永遠の節制の番人

しかし何故我れは、節制のための種々の助力を求めて、幼稚な用事で君の耳を患わすのか。何故我れは、君が常に無敵に杯を愛でるように、我が教えの要旨を提示しないのか。無論、我れは述べよう。我が息子よ、君が常に健全な理性をもって飲むように、我れは君を宙吊りにはしないだろう。

東方の宝石の中に、強力な力のある紫色の外観の宝石があると言われている。それは、酩酊を追い出して、二日酔い防止の薬剤を与えるので、その効力から高貴な名前を持っている。ギリシア人と共に、イタリアの種族はアメシストと呼ぶ。それは、ギュゲスの宝石よりも先に持つべきだろう。［訳注・ギュゲスは、姿が見えなくなる指輪を発見して宮殿に忍び込み、リュディア王を殺して自ら王になった羊飼い。プラトン『国家』二・三五九］

この宝石を発見したら、どんな価格でも買うように。この指輪が、君の関節を囲むように。これは、もし自然が欺かなければ、飲む君に（そこにはかかる力があるので）抗酩酊剤となるだろう。

この宝石は、永遠の節制の番人であり、従ってはいけない酩酊に敵対するという。エチオピア諸国やインドの王たちはこれを喜び、酒を上手く安全に一年を通して愛でた。

Sed quid tundŏ[3] tuās^ studiīs puerīlibus ^aurēs,
  quaerendō variās^ sōbrietātis ^opēs?
Cūr praeceptōrum summam nōn prōmŏ[3] meōrum,
  semper ut invictā^ pōcula ^mente colās[3]? 830
Dīcam[3] equidem, nec tē suspēnsum, nāte, tenēbō[2],
  quī semper salvā^ cum ^ratiōne bibās[3].
Ēōōs^ inter magnā^virtūte ^lapillōs,
  purpureā^facie dīcitur[3] esse lapis;
ille Methēn abigēns et acrēpala pharmaca
    praestāns, 835
  dē virtūte^suā nōbile^nōmen habet[2].
Cum Grāīs Ĭtalae^gentēs dīcunt[3] amethystum;
  ille Gȳ̆gis gemmīs anteferendus erit.
Quōvīs^ hunc ^pretiō inventum mercāre[1d] lapillum;
  vinciat[4] articulōs ānulus^iste tuōs. 840
Ille tibī^, sī nōn fallit[3] nātūra, ^bibentī
  (tālis ĭnest illī vīs) amethystus erit.
Perpetuae^ custōs haec ^sōbrietātis habētur[2]
  et nōn sectandae^ gemma inimīca ^Methē.
Aethiopum rēgēs hōc dēlectantur[1] et Indī, 845
  quō bene sēcūrī vīna perenne colunt[3].

27 **tundō**, ere, tutudī, tūnsum「叩く」33 **Ēōōs:** -us, a, um, *adj*.「東方の」**lapillōs:** -us, ī, *m*.「宝石」35 **acrēpala:** -us, a, um, *adj*.「二日酔い防止の」**pharmaca:** -um, ī, *n*.「薬剤」37 **amethystum:** -us, ī, *f*.「紫水晶、アメシスト」anti-methēとの連想から「抗酩酊剤」38 **Gȳgis:** -ēs, is, *m*. リュディアの王。40 **vinciat:** vinciō, cīre, xī, ctum「囲む」**articulōs:** -us, ī, *m*.「関節」**ānulus**, ī, *m*.「指輪」43 **custōs**, ōdis, *c*.「番人」44 **sectandae:** sector, arı「従う」45 **Aethiopum:** -ops, opis, *m*.「エチオピア」46 **perenne**, *adv*.「一年を通して」

しかし、貨幣の欠乏によりこの宝石を手に入れられない人は、もう一つの助力となる薬剤を求めるように。我れらには、非常に多くの飲みの刺激物がある。君の食卓には、非常に多くの酩酊を追い出すものがある。

ダイコンは、普通の値段で手に入る薬で、生の酒の前に取れば酩酊を散らす。オレガノの敵で二級のブドウの木に不都合な、生のキャベツは過度の酩酊を取り除く。

更に、刻んだネギは、味わった者たちから酩酊を追い払う。食べたタマネギは、飢えた者たちの酩酊を妨げる。甘くなくそれ自体では苦いアーモンドは、食べて何もなければ君は称賛しない。

活発なヒツジの焼いた肺を予め摂るのは悪くない。信じて欲しいが、ハシバミの実［ヘーゼルナッツ］も同様の効力がある。干しイチジクは、節制する人々を守ることができるが、よく熟していないイチジクは、渇きを刺激する。

正しく飲んだ時には、壮健なサフランがこれらの害悪を防ぐことを憶えておくと役に立つ。また、生の酒の前に、ドクニンジンを味わうことをためらわない人々がいるが、これは危険過ぎる。このような薬剤は、我らの敵を捕まえるように。

これらよりずっと単純なものに従うのが有益だ。

Cui tamen hanc^gemmam pēnūria dēnegat[1] aeris,
  ille sibi alterius^ pharmaca quaerat[3] ^opis.
Plūrima sunt nōbīs irrītāmenta bibendī;
  plūrima quae pellunt[3], dat[0] tibi mēnsa, Methēn. 850
Râphanus est modicō^ medicīna parābilis ^aere;
  ante merum sūmptus dissipat[1] ille Methēn.
Īnfēnsa ôrĭganō nec vītibus^ aequa ^secundīs
  exclūdit[3] nimiam^ brassica crūda ^Methēn.
Discutit[3] hanc etiam gustātīs sectile^porrum, 855
  arcet[2] iēiūnīs cēpa comesta Methēn.
Nec tibi nē quīcquam laudātur[1] amygdala gustū,
  nōn quae sit dulcis, sed sit amāra suō.
Nec male pulmŏ citae^pecudis praesūmitur[3] āssus,
  tantundem corylī^, crēde[3], valēre ^nucēs. 860
Et siccae^fīcī possunt[0] dēfendere siccōs,
  excitat[1] et fīcus^ nōn bene ^cocta sitim.
Prōfuit[0] et meminisse crocī prohibēre valentis
  haec mala, sī quandō, ceu decet[2], haustus[4] erit.
Sunt quī nōn dubitant[1] etiam gustāre cicūtam 865
  ante merum, rēs est īnsidiōsa nimis;

49 **irrītāmenta:** -um, ī, *n*.「刺激物」51 **raphanus,** ī, *m*.「ダイコン」53 **īnfēnsa:** -us, a, um, *adj*.「敵の」**orīganō:** -um, ī, *n*. シソ科の香辛植物。54 **brassica,** ae, *f*.「キャベツ」55 **discutit:** -tiō, tere, ssī, ssum「追い払う」**sectile:** -is, e, *adj*.「刻んだ」**porrum,** ī, *n*.「ネギ」56 **arcet:** arceō, ēre, uī, tum「妨げる」**cēpa,** ae, *f*.「タマネギ」57 **amygdala,** ae, *f*.「アーモンド」59 **pulmō,** ōnis, *m*.「肺」**āssus,** a, um, *adj*.「焼いた」60 **corylī:** -us, ī, *f*.「ハシバミ」**nucēs:** nux, nucis, *f*.「堅果」61 **fīcī:** fīcus, ī, *f*.「イチジク」63 **crocī:** -um, ī, *n*.「サフラン」**valentis:** valēns, entis, *adj*.「壮健な」65 **cicūtam:** -a, ae, *f*.「ドクニンジン」

よく飲んだ君はよく憶えておき、沸き立つバッコス酒に冷えた水の一口を差し込むように。君が酩酊を招いた時に、これはそれを追い払う。火の熱気は、冷たい水によって抑えられる。

どうして我れは、君が飲めばどんな酩酊も害とならない、ツバメのくちばしの薬剤を示そうか。ハマアカザの種子を舌の下に置くことを習慣とせず、クリトルの泉から水を飲まないように。［訳注・クリトルは、その水を飲むと酒を飲まなくなるというアルカディアの魔法の泉。オウィディウス『変身物語』一五・三二二］

初心者よ、種々の散剤［調味料］で味付けた食事を、あまり貪欲な形でなく、摂ることを忘れないように。薬味は、弱い生の酒でさえその力を増加させる。いわんや、強い酒では、どれ程の熱を増進させるのか。

例え医者の集団が拒否しても、我れが言うことが全く正しいことを我れは経験から学んだ。唯一経験が良い医者を作るので、経験自体の方が医者よりも我れを動かす。

いくつかの最後の助言

最後に、以前の規則に次を加え、飲んだ君は決して違反しないように。

tālia contingant[3] inimīcīs pharmaca nostrīs.
  Prōderit[0] hīs longē simpliciōra sequī.
Tū quoque ferventī memor interpōne[3] Lyaeō
  haustum dē gelidā iam bene pōtus aquā. 870
Discutit[3] hīc, sī quam contraxĕris[3] ēbrietātem:
  igneus^ opprimitur[3] frīgore ^fervor aquae.
Et quid hirundineī mōnstrem[1] tibi pharmaca rōstrī,
  quae tibi^sūmentī crāpula nulla nocet[2]?
Nē suēscās[3] halimī suppōnere sēmina linguae, 875
  undam Clītoriō^ dē neque ^fonte bibās[3].
Et bene condītās dīversō^pulvere cēnās
  sūmere nōn avidā, tīrŏ, mementŏ[0] manū:
condīmenta merum^ vel ^dēbile vīribus augent[2];
  fortia, dīc[3], quantō^ vīna ^calōre iuvant[1]? 880
Quamquam reclāmet[1] medicōrum turba, sed ūsū^
  hōc didicī[3], vērum quod loquor[3d] esse nimis;
plūs mē quam medicī movet[2] experientia, quippe
  quae^ sōlum medicōs reddit[3] et ^ipsa bonōs.

Haec quoque ad extrēmum praecepta priōribus
    adde[3] 885
  pōtantī^ numquam praetereunda ^tibi:

73 **hirundineī:** -us, a, um, *adj*.「ツバメの」**rōstrī:** -um, ī, *n*.「くちばし」75 **suēscās:** -scō, scere, vī, tum「慣れる」**halimī:** halimon, ī, *n*.「ハマアカザ」**suppōnere:** suppōnō, ōnere, osuī, ositum「下に置く」76 **Clītoriō:** Clitor/ium, ī, *n*. アルカディアの町。77 **pulvere:** -is, eris, *m*.「散剤」79 **condīmenta:** -um, ī, *n*.「薬味」86 **praetereunda:** praetereō, īre, iī, itum「違反する」

君は、どんな女とも生の酒の試合を始めないだろうし、大酒飲みの老女とも争い合わないだろう。

何故ならば彼女たちは、バッコス神自身を酒飲みで退けるような、驚異のバッコス酒の喉を得ているように見える。君は彼女たちを、勇敢にどんな男にも対抗したアマゾンの娘たちとよく比較することができる。例え君が彼女たちを酒で負かしたとしても、その勝利は、何もなしかほんの少しの称賛しかもたらさないだろう。何故なら、多量の生の酒で負けたか弱い女は、如何なる偉大で記憶すべき名声をも君に与えないだろうからだ。しかし、もし君が負けたならば、君は全員の笑い草になるだろう。男である君が、か弱い素手に負けたからだ。

それで、アマゾンの処女、ペンテシレイアは、勝者アキレウスに多くの称賛を与えなかった。より正しく、アイネアスは、滅亡する祖国の原因であったトロイアのヘレネを斬り殺さなかった。初心者よ、このような戦いでは、残忍なアキレウスよりはウェヌスの子アイネアスに従うべきだろう。

加えて、笑い草と酔ってしばしば行う悪徳を警戒する更なる知性が君にあるか。寝台と睡眠で銘醸を消化する前に、酩酊して君の家から出て行かないよう注意するように。

Nullā^ cum ^muliêre merī certāmen inībis°,
nec cum multibibā^ congrediēris[3d] ^anū.
Inveniuntur[4] enim mīrandō^gutture Bacchae,
quae spernunt[3] ipsum vīna bibendō deum. 890
Quās bene Amāzoniīs possīs° cōnferre puellīs,
quōslibet^ audentēs sustinuisse ^virōs.
Quamvīs hās vīnō vincis[3], victōria laudis
aut nihil aut prōrsus est habitūra parum.
Quippe tibi imbellis* magnum et memorābile nōmen 895
nulla dabit° multō *fēmina victa merō;
at sī victus[3] eris, cunctīs lūdībria fīēs°,
quod vir ab imbellī^ victus es ipse ^manū,
sīcut Pēlīdae nōn multum laudis Amāzōn
victōrī virgō Penthesilēa dedit°. 900
Rēctius, Aenēās Helenēn^ iugulāre ^Lacaenam
nōlēns, quae patriae causa ruentis erat.
In tālī pugnā potius Cytherēius^hērōs
quam ferus Aeacidēs, tīrŏ, sequendus erit.
Īnsuper est tibi mēns^ lūdībria ^plūra cavendī, 905
et mala vīnōsō saepe ferenda? vidē[2]

87 **inībis**: ineō, īre, iī, itum「始める」88 **congrediēris**: congrediior, dī, ssum「争い合う」**anū**: anus. ūs, *f.*「老婆」89 **inveniuntur**: inveniō, enīre, enī, entum「得る」**mīrandō**: -us, a, um, *adj.*「驚くべき」91 **Amāzoniīs**: -us, a, um, *adj.*「アマゾンの」92 **audentēs**: audēns, entis, *adj.*「勇敢な」97 **lūdībria**: -ium, iī, *n.*「笑い草」99 **Amāzōn**, onis, *f.* アマゾネス族の一人。00 **Penthesilēa**, ae, *f.* トロイアを助けたアマゾネス族の女王。01 **Helenēn**: Helenē, ēs, *f.* トロイアのヘレネ。**iugulāre**: -ō, āre「斬り殺す」**Lacaenam**: -a, ae, *adj.*「スパルタの」

若者よ、これが君の飲みの初歩だろう。もし君がこれを学び終わったら、間もなく我れは更に重要なものを与えるだろう。バッコス神もまた、君が扱うことのできない他のこと、若者でなく老人に述べるべきことを、語ることを禁じている。

おわりに

我れは、戯れに未熟な小詩で、君がここに書かれたと見るものを歌ったが、これもまたその精神で読んで欲しいものだ。我れは、開いた心で冗談を言うのがよいと思ったが、君もまた我が詩歌を冗談と見なすだろう。それゆえに、我れは、トミスの住民や黒海の厳しい寒気を恐れるべきでないことを願う。［訳注・オウィディウスは、『愛の技術』などの著作またはそれ以外の理由でアウグストゥス帝の不興を買い、前八年黒海沿岸のトミスに追放され、そこから遂に祖国に帰ることはなかった。］

我れは、どんな欺瞞で少女を欺き、如何なる偽計で他人の妻を得るべきかを教えなかった。我が技法は、汚された床の冒瀆の罪を歌わず、愛欲の醜い窃盗も歌わない。我が技法は、貞淑にバッコス酒に満ちた酒壺に静かに口づけするべきものを除き、如何なる接吻も教えなかった。

ante nĕ dēcoctum lectō somnōque Falernum
  ēbrius ē tectīs ēgrediāre[3d] tuīs.
Haec tibi prīma, puer, fuerint elementa bibendī;
  quae sī cōgnōrīs[3], mox graviōra dabō[0]. 910
Quae nunc ferre nequis[0], prohibet[2] quoque cētera
    Bacchus
  effārī, puerō nōn nisi fanda senī.

Haec ego versiculīs cecinī[3] iuvenātus ineptīs,
  quae quā scripta vidēs[2], hāc^ quoque ^mente legās[3].
Ut nōbīs vacuā^ placuit[2] nunc ^mente iocārī, 915
  sīc quoque cēnsēbis[2] carmina nostra iocum,
nec mihi propterеā metuendōs^ esse ^Tomītās
  spērŏ[1], nec Euxīnī frīgora dūra fretī.
Nōn docuī[2] quā^ sint fallendae ^fraude puellae,
  nūpta nec alterius quō capienda dolō. 920
Nōn scelerāta sonat[1] violātī crīmina lectī
  ars mea, nec Veneris turpia fūrta sonat[1].
Ōscula nulla docet[2], nisi quae fīgenda* Lyaeī
  sunt placidō^ plēnīs ^ōre *pudīca cadīs.

10 **cōgnōrīs** = cōgnōverīs: cōgnōscō, ōscere, ōvī, itum「学ぶ」12 **effārī**: effor, ārī「述べる」13 **versiculīs**: -us, ī, *m*.「小詩」**iuvenātus**: iuvenor, ārī「戯れる」15 **iocārī**: iocor, ārī「冗談をいう」17 **Tomītās**: -ae, ārum, *mpl*. トミスの住民。トミスはオウィディウスが流された黒海の地。18 **Euxīnī**: -us, ī, *m*.「黒海」**frīgora**: us, oris, *n*.「寒気」**fretī**: -um, ī, *n*.「海」23 **fīgenda**: fīgō, gere, xī, xum「付ける」

我が詩には、何の愛欲も何の淫蕩もない。我がムーサ女神には、語りえない罪悪が何もない。我れは、許されたバッコス神の節制された夜祭と、幾度かの許された生の酒の遊びの戦いを示した。それ故、我れは不公正な審判で断罪されるべきでない。我れは、罪のある酩酊と憎むべき放蕩を是認しない。

この酒飲みの詩で、君は我れを酒浸りと見なさないように。我がムーサ女神は酩酊しているが、我が人生はしらふである。聞きたいが、我れが冷たい水よりは酒をより好んで飲むことを、誰が我が悪徳と見なしたいのだろうか。

そして、我が技法を妬んで切り裂き、敵意の歯で蝕むことを恐れないテオンよ。詩人オウィディウスが彼の『イービス』で述べる、すべての復讐の女神たちよりも不公正に、我れは君に不幸あれとは願わない。但し、もし君がバッコス神の慈悲深い神威があることを決して望まず、一度も良い酒を飲まないならば、ということだ。

野卑なメウィウスよ、君が下卑た口で飲むバッコス酒は、喜びと甘美さを欠くように。喉が渇いても、神酒のどんな一口も与えられず、君の渇きは気の抜けた酒と濁った澱が追い払うように。君は、穏やかな生の酒も甘美な銘醸も味わわず、疑わしい酒やかびむす酒を飲むように。

Nullus amor, nullum nostrō^ est in ^carmine stuprum, 925
nullum habet[2] īnfandum^ nostra Camēna ^scelus.
Sōbria concessī mōnstrāvimus[I] orgia Bacchī,
nōnnumquam et licitī bella iocōsa merī.
Iūdiciīs ideō nōn sum damnandus inīquīs,
nec peccāta^Methēs, nec mala lustra probō[I]. 930
Nec mē vīnōsō^ madidum dē ^carmine cēnsē[2]:
ēbria Mūsa mea est, sōbria vīta mihi.
Quod vīnum gelidīs ego pōtŏ[I] libentius undīs,
hōc^ mihi quis ^vitiō vertere, quaesŏ[3], velit[o]?
At tū, quī nostram nōn horrēs[2] līvidus artem 935
carpere et oblīquō^ rōdere ^dente, Theōn:
nōn mala, nōn Dīrās tibi inīquior imprecor[Id] ullās,
Ībide^ quās memorat[I] Nāsŏ^poēta ^suā,
dummodo prôpitium^ numquam tibi ^nūmen Iacchī
esse velit[o], pōtēs[I] ut bona vīna semel. 940
Laetitiā careat[2], careat[2] dulcēdine Bacchus,
improbe^, spurcidicō quem bibis[3] ōre, ^Mĕvī.
Nullus contingat[3] sitibundō nectaris haustus;
pellat[3] vappa tuam^ turbida^faexque ^sitim.

25 **stuprum**, ī, *n*.「淫蕩」27 **concessī**: concēdō, ēdere, essī, essum「許す」28 **licitī**: -us, a, um, *adj*.「許された」35 **līvidus**, a, um, *adj*.「ねたんでいる」36 **rōdere**: rōdō, dere, sī, sum「蝕む」**Theōn**, ōnis, *m*. ある風刺詩人。37 **Dīrās**: -ae, ārum, *fpl*.「復讐の女神たち」**imprecor**, ārī「人に災いあれと願う」38 **ībide**: ībis, idis, *f*.「トキ」39 **propitium**: -us, a, um, *adj*.「慈悲深い」42 **Mēvī**: Mēvius, ī, *m*. ある拙劣な詩人。呼格。44 **vappa**, ae, *f*.「気の抜けた酒」**faex**, cis, *f*.「澱」

最後に、君が優美な仲間が飲んで輝く顔をして愉快な日を過ごすのを見る時に、嫉妬深い渇きが君の唇を拷問する中で、君は軽蔑されて一人座りこみ、不機嫌に唸っているように。

バッコス神の巫女たちとサテュロスたちが（テーバイの母たちがペンテウス王をそうしたように）、君を酷く引き裂いて殺すように。そして、君が我が軽い冗談を乱心の口吻で引き裂いたために、君のばら撒かれた骨は、どの墓にも入れられないように。［訳注・テーバイ王ペンテウスは、バッコス神崇拝に反対したために、母とバッコス神の巫女たちに八つ裂きにされた。］

若者よ、遊びには終わりがある。教師に酒を与えるように。なぜならば我れは、君たちからそれ以外の記念品を求めないからだ。学生よ、君たちが満杯の酒酌み器とともに我が技法を紐解く時だけは、頼むから、我れを憶えているように。

（了）

Dēgustēs[I] nōn lēne^merum, nōn dulce Falernum; 945
pendula vīna bibās[3], mūcida vīna bibās[3].
Dēnique quandŏ vidēs[2] lepidōs^ pōtāre ^sodālēs
et nitidā^ laetum sūmere ^fronte diem,
dēspectus sōlus sedeās[2], et ringere[3d] tristis,
invida^ discruciat[I] dum tua labra ^sitis. 950
Maenadĕs et satyrī dēmum (ceu Penthea mātrēs
Thēbānae) lacerent[I] tē perimantque[3] male,
et tua claudantur[3] nullō sparsa̱ ossa sepulchrō,
quod rabidō^ facilēs carpseris[3] ^ōre iocōs.
Lūsus habet[2] fīnem, iuvenēs, date[0] vīna magistrō; 955
nōn alia̱ ā vōbīs praemia namque petō[3],
dumque meam^ plēnīs cyathīs versābitis[I] ^artem,
discipulī, memorēs vōs, precor[Id], este meī.

τέλος

46 **pendula:** -us, a, um, *adj.*「疑わしい」**mūcida:** -us, a, um, *adj.*「かびの生えた」49 **ringere:** ringor, ringī, rictus「唸る」50 **discruciat:** -ō, āre「拷問する」51 **Penthea:** -us, eī, *m.* テーバイの王。52 **Thēbānae:** -us, a, um, *adj.*「テーバイの」**lacerent:** lacerō, āre「引き裂く」**perimant:** perimō, imere, ēmī, ēmptum「殺す」53 **claudantur:** claudō, dere, sī, sum「入れる」**sparsa:** spargō, gere, sī, sum「ばら撒く」**sepulchrō:** -um, ī, *n.*「墓」54 **rabidō:** -us, a, um, *adj.*「乱心の」

韻律の覚え書

韻律

本書のすべての詩行は、図に示す二行毎の「哀歌二行連句」elegiac distichで構成されている。この中で、後に述べる音節の長短により、—∪∪は「長短短格」dactylを、—⏕は「長長格」spondee または長短短格の何れかを、—⏓は「長短格」trochee または長長格の何れかを表す。長短短格等の音節のまとまりを「詩脚」foot という。

一行目は、「長短短六歩格」dactylic hexameter と呼ばれ、第五詩脚を除き、長短短格の代りに長長格を用いることができる。第六詩脚は長長格または長短格の何れでもよい。

二行目は、「長短短五歩格」dactylic pentameter と呼ばれ、二つの部分からなる。双方の部分は二つの長短短格と長音節で構成される。前半の部分では長短短格の代りに長長格を用いることができるが、後半の部分では長短短格を用いなければならない。また、前半最後の長音節は語を終わらせなければならない。後半最後の音節は長短何れでもよい。

— ⏕ — ⏕ — ⏕ — ⏕ — ∪∪ — ⏓

— ⏕ — ⏕ — | — ∪∪ — ∪∪ ⏓

音韻

ラテン語の母音には、a, e, i, o, u, y の長短一二個の母音と、ae, au, ei, eu, oe, ui の長音六個の複母音がある。複母音以外の短母音の連続、例えば ea は、短音二個となり長音ではないので、複母音は区別して記憶する。ui には cui, huic しかないので、記憶する複母音は五個である。

本書では、すべての長母音に、例えば ā のように、マクロンを付して短母音 a と区別する。短母音には通常特に記号を付さない。しかし、韻律の都合により、長母音 ā を短音とみなす「音節短縮」systole がある時には ă、短母音 a を長音とみなす「音節延長」diastole がある時には â、と別の記号を付してこれらを区別する。これは本書だけの便法であるので注意願いたい。

ラテン語の子音で注意したいのは、c と v である。c は /k/ でありカ行に発音し、v は /w/ でありワ行に発音する。またギリシア語から来た帯気音 ph, th, ch は、それぞれ英語の loop-hole, hot-house, block-house のように発音し、近代語のように /f, θ, tʃ/ とは発音しない。

便宜のために子音を分類すると、帯気音を除く「閉鎖音」mutes には、唇音 p, b、歯音t,d、口蓋音c(k, q),gがあり、それぞれ無声音と有声音に分かれる。次に、l,rは「流音」liquids、m,nは「鼻音」nasals、f,s,hは「摩擦音」spirants、子音のi,vは「半母音」semivowelsと呼ぶ。xは二重子音/ks/で、「qu, ngu, su ＋ 母音」の場合のuは子音/w/である。

音節

音節の数は、母音と複母音（以下、まとめて母音という。）の数に一致する。

語中の一子音は後続の母音に付き、二子音以上の場合には、最後の一子音のみが後続の母音に付く。

例、me-us, pa-ter, aes-tās, con-temp-tus.

ただし、「閉鎖音 ＋ 流音」は分離しない。

例、te-ne-brae, Pa-tro-clus, pū-bli-cus.

既に述べたように、ラテン語詩歌の韻律は、音節の長短により構成されるので、長短の判別は極めて重要である。

長母音・複母音を含む音節は自然に長い。

例、 mā-ter, rēg-num, dī-us, cau-sae, foe-dus.
短母音の後に、x, z または「閉鎖音 + 流音」等を除く二つ以上の子音が続く場合には、その短母音を含む音節は位置により長い。
例、 ax-is, res-tō.
短母音の後に、一つ以下の子音が続く場合には、その音節は短い。ただし、qu /kw/ は一子音と数える。
例、 me-a, a-mat, ho-mi-nis, lo-quor.
短母音の後に、次のような「閉鎖音 + 流音」
例、 pr, br, tr, dr, cr, gr, pl, tl, cl 等
が来る場合には、詩人の意向により長音節または短音節として扱うことができる。このため、本書では、短音節を作る流音には、例えば pr̲ のようにアンダーバーを付した。
例、 a-gr̲ī, vo-lu-cr̲is.
更に、本書の特例として、「s + 閉鎖音」も短音節を作ることがあるので、流音と同じようにこれをアンダーバーで示した。
例、 in statiōne s̲tetit. (–⏑⏑–⏑⏑⏑, 2.170)

母音省略

最後の音節が母音・複母音または -m で終わる語に、最初の音節が母音・複母音または h- で始まる語が続く場合に、これを「母音接続」hiatas と呼ぶ。ラテン語の詩歌では母音接続を嫌うので、この場合には、先行する語の最後の音節を全く読まず、韻律にも含めない。これを「母音省略」elision という。母音省略は、それにより必要な情報を追加することができるので、必ずしも無用とはいえない。

本書では、母音省略がある場合には、これをアンダーバーで示した。

例、sīcut enim est placidus (—⏑⏑—⏑⏑⏓, 1.11)

その他の約束

韻律とは直接関係しないが、ラテン語本文を読む読者の便宜のために、本書では統語（文法）および語彙に関する注記を施した。

動詞の統語では、sum, esse を除き、直説法、接続法、命令法からなる「定動詞」finite verbs にこれらを表す上付きの数字を付した。数字は、1から4がそれぞれ第一活用から第四活用を、0が不規則動詞を示す。また、iō 型の第三活用には i を、「形式受動相動詞」deponent verbs にはdを加えてこれらを区別した。

例、vīs[0], bibāmus[I], decet[2], nōverit[3], fruitur[3d].

これは、定動詞が文の統語の中心になると考えるからであり、活用の種類を示すのは、それにより例えば接続法などの活用類型が異なるからである。しかし、活用類型が異ならない完了時制でも同様の注記を行っている。

不規則動詞としたものは、文法書により異なるが、本書では次のようなものである。

例、possum, dō, ferō, volō, nolō, mālō, fīō, eō.

不定法、現在分詞、完了分詞、動名詞、動形容詞などの「不定動詞」infinite verbs は、煩瑣を避ける観点からこれを注記しない。

名詞・形容詞の統語では、現在分詞、完了分詞、動名詞、動形容詞などを含め、性・数・格が一致していても語尾の形が異なるものを、原則として、「^」のペアにより関連付けた。また、注記する語が連続している場合には「^」で連結し、注記が多い場合には「*」も使用した。ただし、語尾の形が同じものは、煩瑣を避けてこれを注記しない。

例、sprētō^ indignē^ nūmine cultus erit. (1.12)

これは、ラテン語では、特に詩歌では、語順が極めて自由であり、性・数・格が一致する語をまとめ、解釈の「場合の数」を減らすことが正しい解釈につながると考えるからである。ただし、これはあくまで便法であり、すべてのケースを網羅したわけではなく、また語尾の形が同じものに注目することも重要である。

語彙では、ラテン語本文の各頁に単語の脚注を付けた。スペースの制約から十分というには程遠いものとなったが、使用頻度の少ない語と活用形式の特殊な語を中心に補注を試みた。また、英語と形態・意味が共通するものは省略した場合が多いが、形態が共通していても意味が異なるものは注記するようにした。

脚注の記載方法、略号などは通常のラテン語辞書と異ならないので、そちらを参照して頂きたいが（ただし、名詞の性・数で、*c.* は男性または女性、*mpl.* は男性複数、*fpl.* は女性複数を表す。）、脚注の単語の前にある二桁の数字は、その単語がある詩行の下二桁を示している。

最後に、酒に関する本書では酒器への言及が多々あるので、関連する語彙を以下にまとめた。訳文も概ねこれに従っている。

ラテン語	ギリシア語	訳　語
cadus, ī, *m.*	amphora	酒壺
calix, icis, *m.*	kylix	酒杯
cantharus, ī, *m.*	kantharos	賞杯
capēdō, inis, *f.*	choas	酒差し
carchēsium, ī, *n.*	karchesion	酒碗
crātēr, ēris, *m.*	krater	混酒器
cyathus, ī, *m.*	kyathos	酒汲み器
dōlium, ī, *n.*	pithos	酒甕
lagoena, ae, *f.*	n.a.	酒瓶
obba, ae, *f.*	n.a.	傾瀉器
patera, ae, *f.*	phiale	酒皿
pōculum, ī, *n.*	n.a.	杯（総称）
scyphus, ī, *m.*	skyphos	大杯
trulla, ae, *f.*	n.a.	柄杓

おわりに

本書は、帝政ローマ時代の言語・韻律・教養を借景として、宗教改革時代のドイツ・バイエルンにおける驚くべき飲酒風俗を詳述したものである。飲酒風俗はまさに人類の歴史とともに常にあったといっても過言ではなく、我が国においても記紀万葉の時代から連綿として語り継がれてきた。

先ず『万葉集』では、大伴旅人の「酒を讃める歌」一三首中の一首である、

験（しるし）なき物を思はずは一坏（つき）の濁れる酒を
飲むべくあるらし（巻三・三三八）

を挙げるべきだろう。歌の心は「何の効用もない物思いをするくらいなら、一杯の濁った酒を飲むべきであろう」というのであるが、これは酒宴における即興の歌とされ、旅人の人生観のようなものを感じるよりは、彼の即興の妙を味わうべきものである。

この歌が人口に膾炙しているところから、当時は濁り酒、即ちどぶろくを飲むことを常としていたというように受け止められがちであるが、当時でも澄んだ酒、即ち清酒もあったとされる。この歌の背景として、『魏志』に「酔客は清酒を聖人といい、濁酒を

賢人という云々」ということから、旅人は古典を踏まえて、戯れに自分は聖人ではなく賢人であるぞと言いたかったのかも知れない。

大伴旅人には、彼が太宰帥として筑紫（福岡県）に下った時に、古くから親交のあった丹生（にふ）女王が旅人に贈ったという歌二首もある。

天雲の遠隔（そくへ）の極み遠けれど心し行けば
恋ふるものかも（巻四・五五三）

古人（ふるひと）の飲（たま）へしめたる吉備の酒病まば術なし
貫簀（ぬきす）賜（たば）らむ（巻四・五五四）

第一首は、「筑紫の国は、天雲のたなびく果ての遠くであっても、私の思いさえ届けば、私に恋いてくれますか」というやや月並みな歌であるが、すべての状況は第二首で明らかになる。即ち、「尊老（旅人）が送らせて下さった吉備の酒も、悪酔いしたらなす術がないので、貫簀も頂きたいものです」という。旅人は筑紫に下る途中で、古くから有名な吉備（広島県）の銘醸を丹生女王に送り、彼女はそれに答えたのであるが、ついでに酪酊にかこつけて旅人の赴任先筑紫の名産品である貫簀（竹で編んだむしろ）も欲しいと甘えて見せたのである。既に古代において、歌に銘醸や名産品に関する教養を援用して、互いの心を通じ合わせるという一つの典型がここにあったように思われる。
次に『古事記』では、八岐の大蛇退治が有名である。これは出雲の国に毎年現われて娘を食べる首が八つあるヲロチ（大蛇）を退治するために、スサノヲ命が八塩折（やしほをり）の酒を用意させ、これを飲んで酩酊した大蛇を見事討ち取り、その尾から後にヤマトタケル命に授けられることになる草なぎの太刀を得たという話である。
ここで問題となるのが、八塩折の酒とは何か、ということである。これは通説では何度も繰り返して醸造した強い酒とされるが、清酒酵母でもアルコール濃度が二〇度程度まで上がると発酵が止まってしまうので、何度繰り返してもそれ以上に強い酒は得られない。但し、アルコール濃度が二〇度程度でも当時としては十分に強いとすれば（ローマ人はワインを薄めてビール程度の濃度で飲んだことも思い起される）、上限まで上げるために醸造を繰り返したとも考えられる。
一方、『日本書紀』一書には「可以衆菓釀酒八甕（あまたのこのみをもちて、さけやはちをかめ）」と記されているので、この酒はコメではなく果実の酒である。果実はもともと果糖を多く含み、コメのように麹によりデンプンを糖化する必要がなく、そのまま放置すれば発酵により糖がアルコールになるので、極めて簡便であり八塩折の酒の対極にある。果実酒といえば、それは何をおいてもブドウ酒である可能性が極めて高い。
我が国には、古来より甲州というブドウ品種があり、従来は七一八年西方から来た修行僧行基が大善寺を開きこの品種を栽培した（大善寺説）、または一一八六年雨宮勘解由が勝沼で発見した（雨宮勘解由説）などの諸説があったが、近年に至りDNA解析によってこれがイタリアのピノ・グリージョなどの欧州品種（Vitis vinifera）にシナの野生種（Vitis davidii）が四分の一交雑したものと判明し、カスピ海で生まれた欧州品種がたぶん何千年もかけてシルクロードを経て我が国に到達したと考えるようになった。八岐の大蛇が本格ワインに酩酊したのかも知れないと妄想するのは愉快ではないか。
次に、ヤマトタケル命のクマソ征伐を見てみよう（景行記）。クマソ征伐を命じられたヤマトタケル命は、クマソタケルが新室完成の祝宴をする日に、額に結っていた髪を少女の髪のように垂らし、女の衣裳を身に着けて宴席に臨んだ。するとクマソタケルの兄弟はその乙女が気に入って、自分たちの間に座らせ、盛んに祝宴をしていた。そして、「その酣（たけなは）なる時に臨みて」ヤマトタケル命は懐から剣を出し、クマソの衣の衿をつかみ、剣をその胸から刺し通したという。
ここでのヤマトタケル命の奸計のポイントが女装にあるとしても、クマソタケルを首尾よく倒すことができたのは、宴酣における酒の力である。八岐の大蛇にしろ、クマソタケルにしろ、酒を用いた奸計により強い相手を倒すというのは、反復される神話のパターンである。イタリア語の形容詞 furbo（敢えて訳せば「ずる賢い」）に悪い意味がないように、古代において奸計は是認されていると思われる。その手段に酒が用いられるのであるが、正面から酒を窘める話は寡聞にして聞かない。神話は「殺される側の論理」に立って、酒には気を付けろと読者を諭しているのではないか。

本書は、そのような中で、正面から酒を窘めながら飲酒の技術を説いていること、正統な擬古文のラテン語韻文でそれを綴ったこと、カトリック教会によって発禁書リストに掲載されたことなどからも、稀有な奇書であると言ってよい。そのような書籍の出版に快く応じていただいたのみならず、原稿整理まで自ら手掛けていただいた、永年の飲み友、株式会社きんざい専務取締役小田徹氏、同社書籍制作部次長城戸由紀女史に、心からの感謝の意を表したい。

【訳者略歴】

原澤　隆三郎（はらさわ　りゅうさぶろう）

1951年東京都に生まれる。74年慶應義塾大学経済学部卒、三菱銀行入行。78年米国マサチューセッツ工科大学スローン経営大学院経営科学修士。元三菱東京UFJ銀行専務取締役。コンシリアジャパン株式会社代表取締役。

飲みの技法

2021年10月14日　第1刷発行

著　者　V. Obsopoeus
訳　者　原　澤　隆三郎
発行者　加　藤　一　浩

〒160-8520　東京都新宿区南元町19
発行所　株式会社 き ん ざ い
編集　TEL 03(3355)1770　FAX 03(3357)7416
販売　TEL 03(3358)2891　FAX 03(3358)0037
URL https://www.kinzai.jp/

DTP・校正：株式会社友人社／印刷：株式会社太平印刷社

ISBN978-4-322-13988-4